Supplementary Mate~~rials~~
to accompany

Puntos
de partida

Supplementary
Materials

to accompany

Sharon Foerster

Jean Miller

Puntos
de partida

Tenth Edition

McGraw
Graw
Hill
Education

SUPPLEMENTARY MATERIALS TO ACCOMPANY PUNTOS DE PARTIDA, TENTH EDITION

Published by McGraw-Hill Education, 2 Penn Plaza, New York, NY 10121. Copyright © 2017 by McGraw-Hill Education.

Some ancillaries, including electronic and print components, may not be available to customers outside the United States.

This book is printed on acid-free paper.

6 7 8 9 0 CD/CD 25 24 23 22 21

ISBN: 978-1-259-63358-4
MHID: 1-259-63358-6

The Internet addresses listed in the text were accurate at the time of publication. The inclusion of a website does not indicate an endorsement by the authors or McGraw-Hill Education, and McGraw-Hill Education does not guarantee the accuracy of the information presented at these sites.

www.mhhe.com

ÍNDICE

CAPÍTULO

1

Communicative Goals for Capítulo 1

By the end of this chapter, you should be able to:

- meet and greet others ❑
- describe yourself and others ❑
- count to 30 and do simple math ❑
- talk about likes and dislikes ❑
- tell time ❑
- get information by asking questions ❑

Grammatical Structures

You should know:

- **ser** ❑
- some interrogative words ❑
- **gustar** ❑
- **hay** ❑

PRONUNCIACIÓN

There are only five vowel sounds in Spanish. Listen carefully as your instructor pronounces each word group, then repeat.

A: Panamá–ciudad–Caracas–capital–Caracas es la capital.–Caracas es la capital de Venezuela.–España–Madrid–Madrid es la capital de España.–Islas–Islas Canarias–Nicaragua–Managua–Managua es la capital de Nicaragua.

E: México–Monterrey–Monterrey está–Monterrey está en México.–Venezuela–Cartagena–Belice–Ecuador–Palenque–América–Barcelona–Sevilla–Sevilla está–Sevilla está en España.

I: Islas–Lima–Lima es la capital.–Lima es la capital del Perú.–Quito–Quito es la capital del Ecuador.–Bolivia–Bolivia está–Bolivia está en América Latina.–país–Brasil–Brasil es un país.–Chile–Potosí–Potosí está en Bolivia.

O: Colombia–Bogotá–Bogotá es la capital de Colombia.–Orinoco–Costa–Costa Rica–San José es la capital de Costa Rica.–Ecuador–Andorra–Andorra está al norte de España.–Honduras–Copán–Copán está en Honduras.

U: Acapulco–Cancún–península–Yucatán–Cancún está–Cancún está en la península de Yucatán.–Cuba–República–Perú–Cuzco–Cuzco está en el Perú.–Machu Picchu–Uruguay–Cataluña–Honduras

COGNATES PRACTICE: LOS GUSTOS

A. Choose two things you like and two things you don't like in each category.

LUGARES

el restaurante vegetariano   el museo de arte moderno
la universidad prestigiosa   el club exclusivo
el parque zoológico   la cafetería universitaria

Me gusta _____ pero no me gusta _____.
Me gusta _____ pero no me gusta _____.

PERSONAS

la profesora excéntrica   el piloto incompetente
el director flexible   el detective paciente
el actor arrogante   la artista prolífica

Me gusta _____ pero no me gusta _____.
Me gusta _____ pero no me gusta _____.

COSAS

el perfume exótico   la novela romántica
el refrigerador enorme   el café expreso
el volcán gigantesco   la biología marina

Me gusta _____ pero no me gusta _____.
Me gusta _____ pero no me gusta _____.

B. With a partner, ask each other questions to find out what they like and don't like in each category.

¿Te gusta _____?

PRÁCTICA: LA HORA Y LOS SALUDOS

Use the clocks shown and the greetings below to answer the questions.

<u>Los saludos:</u> Buenos días   Buenas tardes   Buenas noches

¿Qué hora es en Madrid? _____

¿Qué saludo usas? _____

¿Qué hora es en Buenos Aires? _____

¿Qué saludo usas? _____

¿Qué hora es en San Francisco? _____

¿Qué saludo usas? _____

¿Qué hora es en Nueva York? _____

¿Qué saludo usas? _____

En este momento (*Right now*), ¿qué hora es? _____

¿Qué hora es en Madrid? _____

¿Qué saludo usas en Madrid en este momento? _____

PRÁCTICA: PREGUNTAS Y RESPUESTAS

Some students are talking about classes and the new semester. Complete each conversation with the correct question word: **¿cómo?, ¿dónde?, ¿quién?,** or **¿qué?**

Laura: ¿ _____ es tu clase de español?
David: ¡Es fabulosa! Es mi clase favorita.

Anita: ¿ _____ es la orientación para (*for*) estudiantes internacionales?
Tomás: Es en el auditorio Rubén Darío.

Sonia: ¿A _____ hora es la fiesta?
Pablo: Es a las ocho de la noche.

Laura: ¿ _____ es el profesor de ciencias?
David: Es muy inteligente, pero un poco tímido.

Rubén: ¿ _____ se llama tu libro de texto (*textbook*)?
Elisa: El libro se llama *Puntos de partida*.

Diego: ¿De _____ eres?
Anita: Soy de Venezuela. ¿Y tú?

Laura: ¿ _____ hay en el centro estudiantil (*student union*)?
Sonia: Hay de todo... unas oficinas, una cafetería, un banco...

Pablo: ¿ _____ está el profesor ahora?
Marta: Está en la oficina.

Marta: ¿ _____ te llamas?
David: Me llamo David Ramos. ¿Y tú?

Juana: ¿ _____ hora es?
Julio: Son las diez y cinco.

Rubén: ¿ _____ te gusta comer pizza?
Tomás: Me gusta comer pizza en Pizza Hut.

Anita: Hola, Elisa. ¿ _____ estás hoy?
Elisa: Muy bien, gracias. ¿Y tú?

Sonia: ¿ _____ es el profesor de español?
Marta: Es el profesor Gómez.

REPASO: CAPÍTULO 1

I. **Vocabulario**

A. <u>La hora</u>. Create a question for the following answers:

1. ¿ _____?
   Son las once y veinte de la mañana.

2. ¿ _____?
   La clase de sociología es a las dos de la tarde.

3. ¿ _____?
   Regreso a casa a las cinco y media.

B. <u>Expresa en español.</u>

1. Excuse me, miss. What time is it?

   _____

2. It is 7 p.m. on the dot.

   _____

3. Spanish class is at 11 a.m., but History class is at 4.

   _____

C. <u>Los números.</u> Complete the sentences with the written form of the numbers given.

1. En mi clase de biología, hay (17) _____ muchachos y (21) _____ muchachas.

2. Hoy necesito comprar (*buy*) mis libros. El libro de inglés cuesta (30) _____ dólares. También necesito comprar (6) _____ cuadernos (*notebooks*) y (12) _____ bolígrafos (*pens*). Ahora hay (7) _____ clientes en la librería (*bookstore*), pero solo (1) _____ dependienta (*clerk*).

3. En el departamento de idiomas (*languages*) hay (29) _____ profesores. (21) _____ profesores son de Europa o América Latina.

II. Gramática

A. Gustar. Answer in complete sentences.

1. ¿Te gusta la clase de matemáticas? _____

2. ¿Te gusta estudiar la gramática? _____

3. ¿Te gusta la universidad? _____

4. ¿Te gusta tomar café? _____

B. Preguntas. Answer in complete sentences.

1. ¿Cómo te llamas? _____

2. ¿De dónde eres? _____

3. ¿A qué hora es la clase de español? _____

4. ¿Cuántos estudiantes hay en la clase de español? (aproximadamente) _____

5. ¿Dónde te gusta estudiar? _____

III. Diálogo

Write a short dialogue in which:

- Luis introduces himself to Marta
- Marta asks him where he's from
- Luis answers and asks if she likes Spanish class
- Marta answers and says she'll see him tomorrow

_____

_____

_____

_____

_____

_____

_____

_____

BINGO: GUSTAR

la clase de español	estudiar español	el arte moderno	la fruta	el chocolate
visitar los parques nacionales	la salsa	el programa *Big Bang Theory*	la universidad	Shakira
Taco Bell	el basquetbol	la pizza	la limonada	la música clásica
la televisión	practicar yoga	el profesor / la profesora	el café	conversar por teléfono
practicar la pronunciación	la música latina	la ópera	Enrique Iglesias	Jennifer López

CAPÍTULO 2

Communicative Goals for Chapter 2
By the end of the chapter, you should be able to:

- talk about your college or university ❑
- discuss your schedule, courses, professors ❑
- talk about activities you do on campus ❑
- get information by asking questions ❑

Grammatical Structures
You should know:

- articles ❑
- **-ar** verbs ❑
- **estar** ❑
- negation ❑
- interrogative words ❑

PRONUNCIACIÓN

A: las matemáticas--Marta--A Marta no le gustan las matemáticas.-- cifras--Hay cifras.--Hay cifras sin parar.--la calculadora--salva--La calculadora me salva.--sumar--sumar y restar--sumar, restar y multiplicar--El alemán--A Ana--A Ana le encanta el alemán.

E: Eliseo--Mérida--Eliseo es de Mérida, México.--estudia--ciencias--Estudia ciencias en los Estados Unidos.--le encantan--las ciencias geológicas--A Eliseo le encantan las ciencias geológicas.--el estudiante--egoísta--Es el estudiante menos egoísta de la clase.

I: la química--la química y la física--La química y la física son ciencias.--Inés--le interesa--A Inés le interesa la ingeniería.--Iñigo Irizarry--Íñigo Irizarry es ingeniero.--Es un ingeniero inteligente e impresionante.

O: Begoña--español--Begoña enseña español.--a las once--Begoña enseña español a las once todos los días.--obligatorio--Es una clase obligatoria.--sus horas de oficina--Sus horas de oficina son a las once y a las dos los miércoles.

U: la universidad--la universidad pública--A Lupe le gusta la universidad pública.--La universidad pública es muy popular.--Hugo--Hugo estudia humanidades.--A Hugo le gustan sus cursos universitarios.--Umberto--Umberto y Hugo son los únicos alumnos uruguayos.

LISTENING COMPREHENSION

#1 You will hear a passage about Roberto and Luis. The first time, listen for the answers to the **Cierto/Falso** statements below. The second time, listen for the answers to the short-answer questions.

¿Cierto o falso?

1. ☐ C ☐ F   Los dos amigos son estudiantes.

2. ☐ C ☐ F   Uno de los amigos habla muchas lenguas.

3. ☐ C ☐ F   Luis no trabaja porque es estudiante.

4. ☐ C ☐ F   Están contentos en la universidad porque las librerías son buenas.

Preguntas. Answer with short Spanish sentences.

1. ¿Cómo se llaman los dos amigos?

   _____

2. ¿Estudian los dos?

   _____

3. ¿Dónde trabaja Luis?

   _____

4. ¿Qué enseña Roberto?

   _____

5. ¿Por qué trabaja Luis?

   _____

#2 You will hear a short passage about Ramón and María. Listen for the answers to the **Cierto/Falso** statements below.

¿Cierto o falso?

1. ☐ C ☐ F   Ramón y María son estudiantes italianos.

2. ☐ C ☐ F   Estudian en Buenos Aires.

3. ☐ C ☐ F   Son de Madrid.

4. ☐ C ☐ F   Estudian por la mañana.

5. ☐ C ☐ F   Escuchan muchas lenguas extranjeras en el café.

6. ☐ C ☐ F   Ramón y María tocan música en el café.

PRÁCTICA: LOS ARTÍCULOS DEFINIDOS E INDEFINIDOS

Complete each sentence with the correct definite or indefinite article, according to the context.

<table>
<tr><td colspan="2">los artículos definidos</td><td colspan="2">los artículos indefinidos</td></tr>
<tr><td>el</td><td>la</td><td>un</td><td>una</td></tr>
<tr><td>los</td><td>las</td><td>unos</td><td>unas</td></tr>
</table>

1. Hay _____ diccionarios españoles en _____ Biblioteca Internacional.

2. _____ exámenes de _____ estudiantes están en _____ mesa de _____ profesora Bonilla.

3. _____ programa de música clásica es en _____ teatro de _____ universidad, mañana por _____ tarde.

4. En _____ librería, hay _____ lápices especiales y _____ cuadernos perfectos para _____ clase de arte.

5. _____ oficina de _____ profesora Méndez está en _____ Departamento de Lenguas. _____ número de teléfono es 555-0047.

6. Hay _____ problemas graves con _____ programas de computadoras en _____ laboratorio de lenguas.

7. _____ director del Centro Internacional está aquí todos _____ días a _____ dos de _____ tarde.

8. Hay _____ clase de computación por _____ noche.

9. _____ estudiantes de _____ clase de inglés desean hablar con _____ consejera ahora.

10. _____ problema con _____ universidad es que es muy grande (*big*).

11. Todos _____ estudiantes necesitan pagar _____ matrícula hoy, antes de (*before*) _____ seis de _____ tarde.

12. En _____ mochila del estudiante nuevo, hay _____ papeles, _____ lápices, _____ calculadora y _____ mapa (*masc.*) de _____ universidad.

PRESENT TENSE OF -AR VERBS

bailar	enseñar	practicar
buscar	estudiar	regresar (a casa)
cantar	hablar	tocar
comprar	necesitar	tomar
desear	pagar	trabajar

Complete the sentences with the correct form of a logical verb from the list. Remember the endings: **-o, -as, -a, -amos, -áis, -an.**

En la universidad:

1. ¿ _____ (nosotros) español por la noche?
2. La profesora Ybarra no _____ inglés.
3. ¿Cuántas clases _____ (tú) este (this) semestre?
4. Elena _____ en la biblioteca.
5. ¿Cuándo _____ (nosotros) la matrícula?

En el café:

6. Jorge y Pedro _____ más café.
7. Patricia no _____ la guitarra.
8. Nosotros _____ una canción (song) de Carlos Santana.
9. Clara _____ una Coca-Cola.
10. Paco no _____ bailar con la estudiante italiana.

En la librería:

11. Sara no _____ un diccionario.
12. Raúl _____ un cuaderno y una calculadora también.
13. ¿ _____ (tú) los libros con cheque?
14. Los clientes _____ con una dependienta.
15. Los dependientes no _____ muchas horas hoy.

En la residencia:

16. Nuria _____ una compañera de cuarto.
17. Tomás _____ alemán con el estudiante de Berlín.
18. Este fin de semana, nosotros _____ visitar a mi familia.
19. Yolanda _____ con su (her) mamá en México.
20. ¿ _____ Uds. tomar un café por la tarde?

PRÁCTICA: FORMAS PLURALES Y *ESTAR*

Change the sentences to the plural following the model.

Modelo: Ella busca la oficina de la consejera. →
                Ellas buscan las oficinas de las consejeras.

1. Hay una palabra en el pizarrón.

2. Yo deseo comprar una mochila y un cuaderno.

3. La profesora busca un lápiz y un diccionario.

4. Mi amigo canta una canción (*song*).

5. El secretario trabaja en una oficina.

Answer the questions about where people are, using the cues in parentheses. Then write another sentence explaining where everyone is not.

Modelo: ¿Dónde estás ahora? (biblioteca) →
                Estoy en la biblioteca ahora. No estoy en casa.

6. ¿Dónde está tu amigo ahora? (cafetería)

7. ¿Dónde está tu compañero/a de cuarto ahora? (residencia)

8. ¿Dónde está la profesora de español ahora? (oficina)

9. ¿Dónde están los estudiantes de la clase de español ahora? (salón de clase)

10. ¿Dónde estamos todos los sábados (*Saturdays*)? (fiesta)

PRÁCTICA: PREGUNTAS Y RESPUESTAS

Create a logical question for each answer.

Modelo: <u>¿Dónde está la profesora Guzmán ahora?</u>
         La profesora Guzman está en la oficina ahora.

1. _____
   Este (*This*) semestre, estudio química, literatura, español y filosofía.

2. _____
   El profesor Dávila enseña tres clases.

3. _____
   Necesitamos comprar más bolígrafos y cuadernos.

4. _____
   El estudiante extranjero se llama Fernando.

5. _____
   Tomás regresa a la residencia por la tarde.

6. _____
   Porque deseo hablar español con mis amigos de México.

7. _____
   Roberto paga $392 por los libros de texto.

8. _____
   Pago la matrícula con un cheque.

9. _____
   Mercedes trabaja en la biblioteca.

10. _____
   Beatriz y Lourdes hablan español.

11. _____
   Yo compro una mochila; mi amigo compra una calculadora.

12. _____
   Practicamos en el laboratorio de lenguas.

REPASO: CAPÍTULO 2

I. Vocabulario

Complete each row with the actions, people, places, things, and times you associate with the word listed. Use the **Capítulo 2** vocabulary list on pp. 58–59 of *Puntos*.

	Acciones	Personas	Lugares	Objetos	¿Cuándo?
Modelo:	bailar	los amigos	el apartamento	la guitarra	por la noche
	estudiar				
		el cliente			
			la biblioteca		
				el teléfono celular	
					con frecuencia

II. Gramática

A. Los artículos

	(definido)		(indefinido)
	_____ profesor		_____ hombre
	_____ mujer		_____ oficina
	_____ libro		_____ tarde
	_____ problema		_____ profesores
	_____ clases		_____ días
	_____ noches		_____ secretario
	_____ drama		_____ biblioteca

B. Formas plurales. Change to the plural.

el actor _____   un dólar _____

la universidad _____   la nación _____

una calculadora _____   el papel _____

un problema _____   una mujer _____

la señorita _____   un lápiz _____

C. Pronombres.

1. What pronoun would you use to talk **about** the following people?

   el profesor de historia _____

   los estudiantes de la clase de español _____

   Beyoncé y Shakira _____

   tus (*your*) amigos y tú _____

2. What pronoun would you use to talk **to** the following people?

   el presidente de la universidad _____

   un niño (*child*) _____

   tu amigo/a _____

   tus amigas _____

D. Verbos. Choose the most logical verb and then conjugate it correctly.

1. Los estudiantes de español _____ (trabajar / tocar) mucho.

2. Nosotros _____ (practicar / desear) hablar español.

3. La profesora Gómez _____ (bailar / enseñar) a las once.

4. Los estudiantes _____ (necesitar / mirar) estudiar todas las noches.

5. ¿Tú _____ (estudiar / buscar) español también?

6. ¿Qué otros (*other*) cursos _____ (pagar / tomar) tú este semestre?

7. Yo _____ (practicar / desear) español con unos amigos.

8. ¿Tú _____ (desear / enseñar) tomar un café con nosotros?

E. ¿Dónde están? Write a sentence saying where everyone is. Use the correct form of **estar.**

1. Marcos / la biblioteca _____

2. Antonia y yo / la residencia _____

3. tú / la fiesta _____

4. los profesores / la oficina _____

5. yo / el apartamento _____

6. Natalia / la cafetería _____

F. <u>Palabras interrogativas</u>. Use the following question words and verbs to create eight questions about people and actions in the drawings, then add your own answers.

¿A qué hora?	¿Cuándo?	¿Por qué?
¿Cómo?	¿Cuánto?	¿Qué?
¿Cuál?	¿Dónde?	¿Quién?

buscar	enseñar	pagar	tomar
comprar	hablar	regresar	trabajar
desear	necesitar		

la profesora Gil

el Sr. Miranda

Marcos

1. Pregunta _____
   Respuesta _____

2. Pregunta _____
   Respuesta _____

3. Pregunta _____
   Respuesta _____

4. Pregunta _____
   Respuesta _____

5. Pregunta _____
   Respuesta _____

6. Pregunta _____
   Respuesta _____

7. Pregunta _____
   Respuesta _____

8. Pregunta _____
   Respuesta _____

G. La negación. Answer the questions negatively.

1. ¿Toman Uds. siestas en la clase de español?

_____

2. ¿Necesita Bill Gates más dinero?

_____

3. ¿Te gusta el brócoli?

_____

4. ¿Compran los estudiantes los libros de texto en una biblioteca?

_____

5. ¿Hablan Uds. español perfectamente?

_____

III. Diálogo

Write a short dialogue in which Mario and Anita talk about

- their classes
- what they need to do this afternoon (**esta tarde**)
- what they want to do this weekend (**este fin de semana**)

_____
_____
_____
_____
_____
_____
_____
_____
_____
_____

INFORMATION GAP ACTIVITY: ¿QUÉ CLASES TOMAS?

Fill out the first chart below in Spanish with your class schedule. Include the name and time of the class, referring to your book if you need to check how to say a class subject in Spanish.

lunes	martes	miércoles	jueves	viernes

Now find a partner and, using the model questions below, fill out the second chart with information about his or her schedule. After you and your partner have exchanged information, check to make sure you have each other's schedules written correctly.

Modelo: ¿Tomas una clase el lunes (el martes, el miércoles, etc.)?
            Sí, tomo el álgebra.
            ¿A qué hora?
            A las once de la mañana.

lunes	martes	miércoles	Jueves	Viernes

¿Es posible tomar un café juntos (*together*) un día? ¿Cuándo?

Speaking Activities

BINGO: EN LA UNIVERSIDAD

baila salsa.	manda mensajes en clase.	no estudia los fines de semana (weekend).	trabaja en un café.	necesita comprar unos libros.
habla por teléfono todos los días.	desea comprar una computadora.	busca un apartamento.	estudia computación.	no está en clase hoy.
escucha música con frecuencia.	busca un(a) compañero/a de cuarto.	trabaja en la universidad.	toca la guitarra.	practica el español todos los días.
toma mucho café.	toca la flauta.	canta en las fiestas.	necesita pagar la matrícula.	es dependiente/a.
necesita estudiar más.	toma cinco clases este semestre.	toma una siesta todos los días.	trabaja en una oficina.	estudia sicología.

COMMUNICATIVE GOALS PRACTICE #1

Talk about the scene in the bookstore for 45 seconds. "Show off" all you have learned up to this point in the semester. Check the **Communicative Goals** boxes at the beginning of each chapter of your Supplement to see all that you should be able to do. You may use your imagination to add more details in your descriptions, but do not try to go beyond what we have been covering in class. For this first oral proficiency practice, the following seven topics are suggested.

1. Time
2. Where they are
3. Languages they speak
4. Courses they take
5. Likes and dislikes
6. Actions taking place
7. Phone numbers

Use these topics to perform at least ten communicative goals. Do not repeat topics more than once. You can include two questions you would ask characters from the image as part of your ten communicative goals.

Susana   Pedro   Lupita

CAPÍTULO
3

Communicative Goals for Chapter 3

By the end of the chapter, you should be able to:

- describe friends and family ❑
- tell your age ❑
- identify a person's nationality ❑
- indicate purpose and reason for doing something ❑
- tell what belongs to you and others ❑

Grammatical Structures

You should know:

- **ser** ❑
- possessive adjectives ❑
- **-er** and **-ir** verbs ❑
- placement of adjectives ❑

PRONUNCIACIÓN

Listen and repeat after your instructor. Then practice in pairs.

1. Tu tía Tula tiene treinta tortillas tostadas.
2. Mi padre y mi primo, Paquito, practican con su profesor Pablo Pérez.
3. Imelda es impaciente, incompetente e indiscreta.
4. Patricia Pineda es práctica, patriótica y poética.
5. Lola López Ludwig, la alemana, está en Lima hasta el lunes.
6. El general Geraldo Germán es religioso y generoso.

LISTENING COMPREHENSION

#1. You will hear a passage about a student named Carlos Padilla. Listen for the answers to the **Cierto/Falso** statements below.

¿Cierto o falso?

1. ❑ C ❑ F   Carlos estudia en la Universidad de los Andes.
2. ❑ C ❑ F   Vive con su familia.
3. ❑ C ❑ F   Es alto y moreno.
4. ❑ C ❑ F   Tiene dos hermanos y una hermana.
5. ❑ C ❑ F   Tiene un perro.

#2. You will hear a conversation that takes place in a local supermarket. Listen for the answers to the questions below.

1. ¿Dónde trabaja Catalina? ¿Por qué?
2. ¿Está el Sr. Hernández en el supermercado por la mañana o por la tarde?
3. ¿Cómo se llama la esposa del Sr. Hernández?
4. ¿Cuántas hijas hay en la familia Hernández?
5. ¿Cómo se llama el perro?
6. ¿Dónde trabaja el Sr. Hernández? ¿Y su mujer?

FAMILY TREE DIAGRAM

Listen as your instructor reads a description of a family. Fill in the names of the family members and their ages as you hear them.

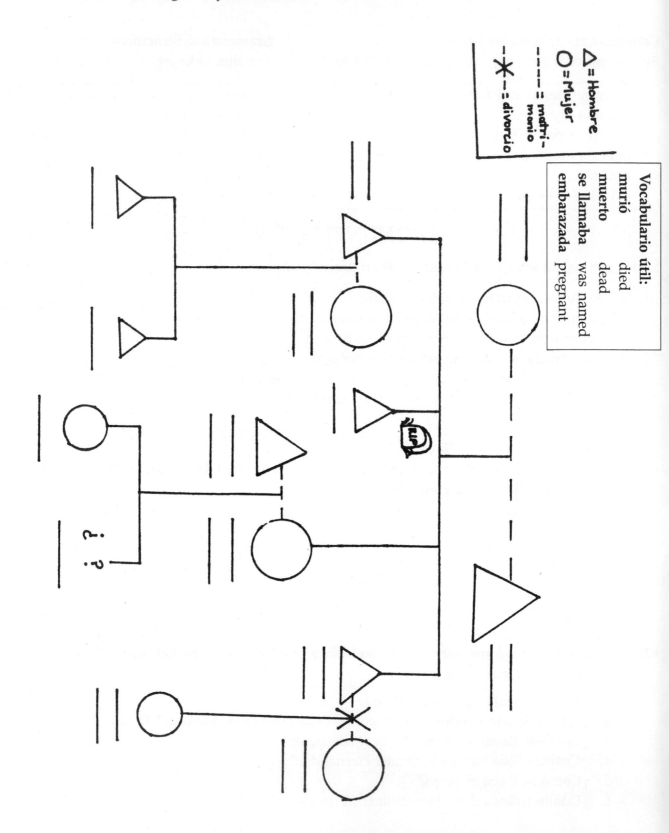

¿CÓMO ES ESTA FAMILIA?

Look at the drawing of the family tree, then use the adjectives presented in the vocabulary section of this chapter of your textbook to describe each person or group of people listed. Use your imagination, and try to use at least two adjectives for each person or group.

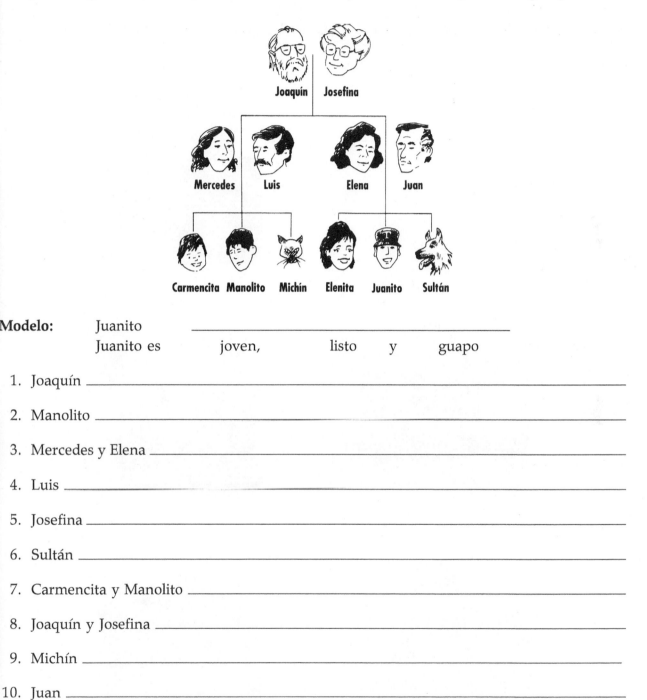

Modelo: Juanito _____

Juanito es   joven,   listo   y   guapo

1. Joaquín _____

2. Manolito _____

3. Mercedes y Elena _____

4. Luis _____

5. Josefina _____

6. Sultán _____

7. Carmencita y Manolito _____

8. Joaquín y Josefina _____

9. Michín _____

10. Juan _____

PRÁCTICA: DESCRIPCIONES Y PREGUNTAS

Describe each person, give his/her nationality and age, and then write three questions you might ask that person. Try to include one question starting with **¿Con qué frecuencia...?**

Palabras interrogativas:

¿Qué? ¿Cómo? ¿Cuándo? ¿Dónde? ¿Quién? ¿Cuánto? ¿A qué hora? ¿Por qué?

Modelo: Nina es alta, morena y delgada.
Es peruana y tiene 21 años.

1. Nina, ¿qué lees?
2. ¿Con qué frecuencia estudias en la biblioteca?
3. ¿A qué universidad asistes?

PRÁCTICA: LAS NACIONALIDADES

Complete the table with the answers to the three questions below.

	¿De dónde es?	¿Qué nacionalidad es?	¿Qué lengua habla?
1	Greta es de Alemania.		
2		Chiyo es japonesa.	
3			Sofía habla italiano.
4		Ramón es español.	
5	Helen es de Corea.		
6		Juan Pablo es mexicano.	
7	Juanita es de Bolivia.		
8		Diana es inglesa.	

¿Cierto o falso? Correct the false statements, using the map below.

1. Mercedes es de Asunción.
   ☐ C   ☐ F   Es uruguaya. _____

2. José Carlos es de Buenos Aires.
   ☐ C   ☐ F   Es argentino. _____

3. Maricarmen es de Quito.
   ☐ C   ☐ F   Es peruana. _____

4. Paco y Pepe son de Bogotá.
   ☐ C   ☐ F   Son venezolanos. _____

5. Las hermanas Ramos son de Santiago.
   ☐ C   ☐ F   Son chilenas. _____

6. Lola es de Caracas.
   ☐ C   ☐ F   Es venezolana. _____

7. Enrique y Adriana son de Montevideo.
   ☐ C   ☐ F   Son argentinos. _____

8. Gilberto es de Lima.
   ☐ C   ☐ F   Es peruano. _____

PRÁCTICA: EXPLAINING YOUR REASONS

Answer the questions using **porque** (because) or **para** + *infinitive* (in order to . . .).

Modelo: ¿Por qué vendes tu bicicleta?
Vendo mi bicicleta **para comprar** otra bicicleta nueva.
Vendo mi bicicleta **porque** necesito el dinero.

1. ¿Por qué deseas aprender español?

   _____

2. ¿Por qué estudias en esta universidad?

   _____

3. ¿Por qué practican los estudiantes en el laboratorio?

   _____

4. ¿Por qué tomas café por la mañana?

   _____

5. ¿Por qué debes asistir a la clase de español todos los días?

   _____

6. ¿Por qué vives en una casa (un apartamento / una residencia)?

   _____

7. ¿Por qué tomas una siesta a veces?

   _____

8. ¿Por qué miras la televisión?

   _____

9. ¿Por qué toman siestas los estudiantes?

   _____

10. ¿Por qué necesitan estudiar Uds. antes del (*before the*) examen?

   _____

11. ¿Por qué a veces regresas a casa tarde los fines de semana?

   _____

12. ¿Por qué es necesario pagar la matrícula pronto?

   _____

13. ¿Por qué es importante hablar otra lengua?

   _____

PRÁCTICA: LOS POSESIVOS

Complete the passages with the correct form of the possessive adjectives indicated.

mi, mis	nuestro/a(s)
tu, tus	vuestro/a(s)
su, sus	su, sus

Un regalo apropiado para su cumpleaños (*birthday*)

Los Sres. Osorio buscan un regalo para (1. *their*) _____ hijo Héctor, porque es (2. *his*) _____ cumpleaños el sábado. La Sra. Osorio cree que Héctor necesita una mascota. (3. *His*) _____ animales favoritos son los perros, por eso ella desea comprarle un pastor alemán (*German shepherd*). El Sr. Osorio explica: «(4. *My*) _____ amor (*love*), Héctor no es muy responsable. Además (*Besides*), (5. *your*) _____ mamá y (6. *his*) _____ tíos tienen mascotas y vivimos cerca de (*near*) ellos. Es mejor (*better*) buscar un regalo más útil (*useful*) para (7. *our*) _____ hijo». Por eso, los Osorio visitan la tienda (*store*) de (8. *their*) _____ amigo, Alfredo, y compran una computadora.

Una familia grande

¿Cómo es (1. *your*) _____ familia? En (2. *my*) _____ familia, hay muchas personas. (3. *My*) _____ abuelos paternos tienen seis hijos. (4. *Their*) _____ hijos se llaman José María, Laura, Victoria, Mateo, Blanca y Arturo. (5. *My*) _____ padre es Arturo, el hijo menor. Nosotros vivimos en Chicago, pero todos (6. *our*) _____ tíos y primos viven en Oklahoma.

La familia de mamá es grande también. (7. *My*) _____ mamá es de Guadalajara, México, y (8. *her*) _____ tres hermanas viven allí. También viven allí (9. *her*) _____ padres, (10. *my*) _____ abuelos maternos. La abuela piensa (*thinks*) que (11. *her*) _____ hija debe regresar a México para vivir, pero a mamá le gusta (12. *her*) _____ vida (*life*) aquí. Pero vamos a Guadalajara todos los años para visitar a todos (13. *our*) _____ parientes. En Guadalajara, nos quedamos (*we stay*) con (14. *my*) _____ tíos Enrique y Teresita o con (15. *my*) _____ abuelos. (16. *Their*) _____ casas son relativamente grandes, y hay lugar para todos.

PRÁCTICA: ENSALADA DE PALABRAS

Complete the following passage by writing the correct form of the words in parentheses, according to context. When given a choice between two verbs, choose the most logical one; change adjectives to agree with the nouns they modify.

(1. Estudiar - yo) _____ el español porque (2. ser) _____ importante hablar un idioma (3. extranjero / extranjera) _____. Mi amigo Brian tiene una novia (*girlfriend*) (4. colombiano / colombiana) _____ y por eso él (5. tomar) _____ la clase; él desea (6. hablar) _____ con ella.

Mi primera (*first*) clase (7. ser/estar) _____ a (8. los/las) _____ nueve de la mañana; en mi clase (9. hay/están) _____ veintitrés estudiantes. Generalmente, Brian y yo (10. llegar/trabajar) _____ a las nueve menos tres pero la profesora no (11. llegar) _____ hasta (*until*) las nueve. Ella (12. te llama/ se llama) _____ Beatriz y (13. ser/tener) _____ 28 años. (14. Los/Las) _____ estudiantes de la clase (15. ser) _____ muy diferentes y por eso es (16. un/una) _____ grupo interesante. (17. Muchos / Muchas) _____ estudiantes (18. practicar/tocar) _____ un deporte (*sport*); otros (19. trabajar) _____, pero todos nosotros (20. estudiar) _____ mucho.

En general, me (21. gustar) _____ la clase. A veces escribimos composiciones (22. cortos / cortas) _____; también (23. practicar) _____ en el laboratorio y (24. escuchar) _____ canciones (*songs*) en español. Después de (*after*) clase, no (25. desear - yo) _____ estudiar más y (26. necesitar) _____ descansar (*rest*). Por eso, voy (*I go*) con Brian y nosotros (27. tomar) _____ un café o una Coca-Cola Después (*Afterwards*), (28. regresar - yo) _____ a la residencia para estudiar y tal vez (*maybe*) para tomar (29. un/una) _____ siesta (30. corto) _____.

PRÁCTICA: SOPA DE VERBOS

Complete the passages. Choose the most logical verb for the context and write the correct form for the subject given.

<u>Mi vida en la universidad</u>

Este semestre, yo (tomar / vivir) _____ en un apartamento. Mi compañero de casa (me llamo / se llama) _____ Ernesto. No me gusta vivir con él, porque (ser / tener) _____ egoísta y perezoso. Por ejemplo, (tocar / tomar) _____ la guitarra a las dos de la mañana y siempre (llegar / hablar) _____ por teléfono. ¡Yo (asistir / creer) _____ que (deber / comprender) _____ buscar un nuevo compañero de casa pronto!

Muchos de mis amigos (vivir / mirar) _____ en residencias universitarias. Los sábados, nosotros (asistir a / llegar) _____ conciertos o fiestas. A veces, nosotros (comer / beber) _____ en un restaurante italiano que nos gusta mucho. Los domingos, yo siempre (creer / tomar) _____ un café en mi café favorito y (leer / escribir) _____ el periódico. Después (*After*), cuando (abrir / recibir) _____ la biblioteca a las doce, yo (estudiar / hablar) _____ allí (*there*) para mis clases el lunes.

<u>Una visita a casa</u>

Yo (vender / vivir) _____ en la universidad, pero mi familia (vivir / asistir a) _____ en Tampa. Con frecuencia, yo (regresar / llegar) _____ a casa los fines de semana para visitar a mi familia. Cuando yo (mirar / llegar) _____ a casa, siempre hay una comida (*meal*) especial. Nosotros (creer / comer) _____ y (hablar / leer) _____ de mi vida en la universidad. Después, nosotros (mirar/tomar) _____ la televisión y a veces yo (tomar / tocar) _____ una siesta. Por la noche, yo (escribir / hablar) _____ por teléfono con mis amigos de Tampa, y vamos (*we go*) a un club para (estudiar / escuchar) _____ música y (bailar / practicar) _____. Mi mamá (comprar / creer) _____ que yo (deber / desear) _____ visitar más. También dice (*she says*) que yo (necesitar / aprender) _____ regresar a casa más. Mis padres no (escuchar / comprender) _____ que yo (trabajar / necesitar) _____ estudiar. Por eso, (llegar / ser) _____ imposible visitar a mis padres todos los fines de semana.

REPASO: CAPÍTULO 3

I. Vocabulario

A. Los adjetivos y la concordancia. Complete the following sentences, paying attention to agreement. Try to list at least three adjectives for each person.

1. Yo soy _____.

2. Mi mejor (*best*) amigo/a es _____.

3. Mi pariente favorito/a es _____.

B. Definiciones

1. La hermana de mi padre es mi _____.

2. El padre de mi madre es mi _____.

3. El hijo de mi hermana es mi _____.

4. La madre de mi sobrino es mi _____.

5. Las hijas de mis tíos son mis _____.

II. Gramática

A. Ser and Possession. Look at the image below, then answer the questions.

1. ¿De quién es la computadora? _____

2. ¿De quién son las dos camisas? _____

3. ¿De quién son los dos perros? _____

4. ¿De quién es el coche? _____

5. ¿De quiénes son los helados (*ice cream*)? _____

B. <u>Los usos del verbo **ser**</u>. Complete the passage with the correct form of the verb **ser**.

¡Hola! Me llamo Carlos Domínguez. _____ estudiante de ingeniería.

_____ alto, delgado y un poco perezoso. Mi familia y yo _____ de

Madrid. Mi padre José _____ periodista y mi madre Sara _____ maestra.

Tengo dos hermanas menores, Elena y Sarita. Ellas _____ estudiantes también.

C. <u>La nacionalidad</u>.

1. Johnny Depp es un actor _____.

2. Acapulco y Veracruz son ciudades _____.

3. El tequila es una bebida (*drink*) _____.

4. El Ferrari es un coche _____.

5. Berlín es una ciudad _____.

D. <u>Los posesivos</u>. Aunt Hortensia is helping everybody find things and get organized for the first day of school. Complete her sentences with the correct form of the possessive.

1. José, (*your*) _____ cuadernos están en (*your*) _____ coche.

2. Liliana, Rafael, aquí tengo (*your*) _____ libros.

3. Aquí están dos lápices de Beatriz. Hay más en (*her*) _____ escritorio.

4. ¿Dónde está (*my*) _____ calculadora?

5. Creo que (*our*) _____ mochilas están en (*their*) _____ cuarto.

E. <u>Un domingo en casa</u>. Complete the sentences with the correct form of the most logical verb in parentheses.

1. Después de misa (*After mass*), nosotros (llegar / hablar) _____ a casa a la una.

2. Por la tarde, papá y yo (leer / abrir) _____ el periódico.

3. Mi hermanita menor (*younger*), Patricia, (vender / aprender) _____ un nuevo juego (*game*) en la computadora.

4. Mamá (estar / escribir) _____ una carta a los abuelos.

5. A veces, la tía Raquel y mis primos (comer / vivir) _____ con nosotros.

6. Todos nosotros (escuchar / mirar) _____ un programa a las seis en la tele.

7. Yo (ser / regresar) _____ a mi residencia en la universidad por la noche.

III. **¿Qué dices** (*do you say*)**?** What do you say in Spanish in each of these situations?

1. You want to find out whose backpack is in your car.

   _____

2. Explain to your roommate your reasons for not studying tonight.

   _____

3. Find out how often your friends study in the library.

   _____

4. You need to find out the capital of Venezuela.

   _____

IV. **Diálogo**

Your exchange-student roommate is coming home for the weekend with you. Write a short dialogue in which

- your roommate asks about your family
- you describe your family and say what you do together when you come home
- you ask your roommate about his/her family and what they do when they're together

   _____

   _____

   _____

   _____

   _____

   _____

   _____

   _____

BINGO FAMILIAR

una abuela viuda (widowed) ___	un perro y un gato ___	4 abuelos vivos (living) ___	una sobrina muy joven ___	un padre guapo ___
un pariente divorciado ___	2 hermanos mayores ___	más de 8 primos ___	un tío soltero ___	un pariente de otro país ___
un/una hermano/a menor ___	gemelos/as (twins) en la familia ___	un/una primo/a que vive en California ___	un/una sobrino/a travieso/a (mischievous) ___	una tía gorda y simpática ___
una madre que trabaja ___	una familia rica ___	una pariente embarazada (pregnant) ___	una familia loca ___	un esposo / una esposa ___
un/una primo/a antipático/a ___	un/una hermano/a tonto/a ___	un hermano que vende cosas en e-bay ___	un esposo / una esposa ___	muchas reunions familiares ___
un/una hermano/a que busca esposo/a ___				

COMMUNICATIVE GOALS PRACTICE #2

Try to talk about the party scene below for about 45 seconds. "Show off" all you have learned up to this point in the semester. Check the **Communicative Goals** boxes at the beginning of each chapter of your Supplement to see all that you should be able to do. You may use your imagination to add more details, but do not try to go beyond what we have been covering in class. For this second oral proficiency practice, the following eight topics are suggested:

1. Time	4. Age and nationality	7. Family relationships
2. Appearance	5. Telephone numbers	8. Actions taking place
3. Personality	6. Likes and dislikes	

After you've finished your description, work with a partner taking turns to ask questions of at least two of the characters in the scene. Your partner, using his/her imagination, will answer the questions.

¿Cómo? ¿Qué? ¿Cuál? ¿Cuándo? ¿Cuánto/a(s)? ¿Cuándo? ¿Dónde? ¿De dónde? ¿Quién? ¿Por qué? ¿De quién?

ROUND ROBIN: GRAMMAR MONITOR ACTIVITY

In this activity you will work in groups of three. Each partner will alternate roles until all three of you have (1) described one of the women; (2) asked questions; and (3) served as the grammar monitor.

Partner A: Describe one of the women at the party. Include her physical characteristics, her personality and what she likes to do.

Partner B: Listen carefully as Partner A describes one of the women. Then ask two questions to get more information about her.

Partner C: As the grammar monitor, your job is to listen for agreement errors that Partners A and B may make. Jot down any errors you may hear. Example: **Nati es alta y delgado**. Note that **delgado** should be **delgada**. When Partners A and B are finished, give them feedback on whether or not they are doing well on noun/adjective agreement.

Now switch roles. Partner A takes the role of Partner B (the person asking questions), Partner B takes the role of Partner C (the grammar monitor), and Partner C takes the role of Partner A (the describer).

GUIDED WRITING AND SPEAKING:
LA FAMILIA ANFITRIONA (*HOST*) DE ROSA

A. Study the image and then work with a partner to form six questions about Rosa's host family in Mexico. Use different interrogative words for each question.

¿Cómo? ¿Qué? ¿Cuál? ¿Cuándo? ¿Cuánto/a/os/as? ¿Cuándo? ¿Dónde? ¿Quién? ¿Por qué?

Use your imagination and the vocabulary from this chapter and previous chapters.

1. _____

2. _____

3. _____

4. _____

5. _____

6. _____

B. Imagine you are Rosa. Write an email to your best friend telling her about your host family. Include a description of the family members (ages, physical and personality characteristics), their likes and dislikes, and what the family members do on the weekends.

_____

_____

_____

_____

_____

C. With a partner, role-play a dialogue between Rosa and one of the characters in the drawing.

CAPÍTULO
4

Communicative Goals for Chapter 4

By the end of the chapter, you should be able to:

- discuss clothing and shopping ❑
- ask for and give prices ❑
- point out people and things ❑
- discuss preferences and wishes ❑
- talk about the future ❑

Grammatical Structures

You should know:

- demonstrative adjectives ❑
- stem-changing verbs ❑
- **tener** idioms ❑
- **ir** + **a** + infinitive ❑
- the contractions **al** and **del** ❑

PRONUNCIACIÓN

A. **Stress and Written Accents:** Listen as your instructor pronounces each of the following words. Underline the stressed syllable. Then take turns with a partner and pronounce the words in the list.

1. tra-ba-ja-dor

2. nues-tro

3. so-bri-no

4. dic-cio-na-rio

5. cal-cu-la-do-ra

6. a-le-mán

7. so-cio-lo-gí-a

8. plás-ti-co

9. a-crí-li-co

10. dó-la-res

11. a-bri-go

12. se-te-cien-tos

13. a-na-ran-ja-do

14. u-ni-ver-si-dad

15. pá-ja-ro

16. ro-mán-ti-ca

17. al-ma-cén

18. de-par-ta-men-to

19. mi-llón

20. mo-chi-la

21. te-lé-fo-no

22. pan-ta-lo-nes

23. a-que-llas

24. re-ba-jas

LISTENING COMPREHENSION

A. El inventario del Almacén Matilde. Your instructor will read the list of clothing items, the number of each item left in the store at the end of the year, and the price in Mexican pesos of each unit. Write the articles, the number, and price in the chart below.

Artículos	Número (cantidad)	Precio cada uno (*each unit*)

B. Grandes rebajas en ZARA. You will hear prices for various clothing items on sale at ZARA in Santiago, Chile. Write the prices in pesos as your instructor reads them.

Vocabulario útil

los guantes   gloves

la bufanda   scarf

LISTENING COMPREHENSION: LOS HORARIOS (SCHEDULES)

Listen as your instructor reads a paragraph describing the schedules of four students. As you listen, fill in the chart with information about each person's schedule. After you complete the chart, use the information you've written to answer the question below.

Vocabulario útil

antes de before   **después de** after

	María	Juan	José	Sara
8-9 a.m.				
9-10 a.m.				
10-11 a.m.				
11-12 a.m.				
12-1 p.m.				
1-2 p.m.				
2-3 p.m.				
3-4 p.m.				
4-5 p.m.				
5-6 p.m.				

¿Cuándo pueden reunirse (get together) los cuatro estudiantes por dos horas para estudiar para su examen de español? _____

PRÁCTICA: DEMONSTRATIVE ADJECTIVES

A. Paula and her friend, Regina, are trying to make some decisions about what clothing to buy for their big party. Fill in the dialogue with the appropriate demonstrative adjective.

Paula: ¿Te gustan _____ vestidos o prefieres _____ vestidos
              these   *those*
              largos allá?

Regina: La verdad es que no me gustan los vestidos en _____ tienda.
                                                              this

              Prefiero los vestidos de _____ tienda de ropa elegante en el centro.
                                              that

Paula: De acuerdo, pero quieres comprar _____ chaqueta rosada, ¿verdad?
                                                  that

Regina: Claro (*Sure*), y también _____ cinturón es bonito y no muy caro. Vamos
                                          this

              a comprar _____ dos cosas (*things*) aquí y podemos comprar los vestidos
                              these
              en la otra tienda.

Paula: _____ es una buena idea.
              That

B. Ana and Yoli are looking at a family photo album. Complete their conversation with the correct demonstrative adjective.

Ana: Yoli, ¿qué es _____?
                          this

Yoli: Es un álbum de fotos de mi familia. ¿Quieres ver las fotos?

Ana: Sí, por supuesto. ¿Quiénes son _____ dos chicos aquí?
                                              these

Yoli: Son mis primos Fede y Manuel. Y _____ dos muchachos allá son
                                                  those
              mis hermanos mayores (*older*), Sergio y Daniel.

Ana: ¿Y _____ señora tan elegante?
              that

Yoli: Es mi tía abuela, Carmencita. Y _____ señora en la chaqueta de
                                              that, over there
              rayas es una vecina (*neighbor*), doña Victoria.

Ana: Y _____ personas aquí son tus padres, ¿verdad?
              these

Yoli: No, son mi tío Guillermo y mi tía Lupe.

PRÁCTICA: PLANES Y PREFERENCIAS

Explain what the following people are going to do, have to do, and feel like doing this weekend. Combine the subjects with the activities listed below.

yo
mi mejor (best) amigo/a
el profesor / la profesora
los compañeros de clase
nosotros / as

\+

ver una una exhibición en el museo
visitar a unos amigos
estudiar para el examen
bailar en una discoteca
trabajar
leer una novela
descansar
hablar por teléfono
aprender los verbos irregulares

¿Qué **van a hacer** (going to do) estas personas este fin de semana?

1. _____

2. _____

3. _____

4. _____

5. _____

¿Qué **tienen que hacer** este fin de semana?

1. _____

2. _____

3. _____

4. _____

5. _____

Pero en realidad, ¿qué **tienen ganas de hacer** este fin de semana?

1. _____

2. _____

3. _____

4. _____

5. _____

VERB WORKSHEET

I have to read. _____

I want to read. _____

I'm going to read. _____

I can read. _____

I feel like reading. _____

I prefer to read. _____

We don't have to go. _____

We don't need to go. _____

We're not going to go. _____

We can't go. _____

Marta has to return. _____

Marta wants to return. _____

Marta feels like returning. _____

Marta is going to return. _____

Marta can return. _____

They prefer to pay. _____

They don't feel like paying. _____

They need to pay. _____

They are going to pay. _____

They want to pay. _____

They have to pay. _____

PRÁCTICA: PREPOSITIONS AND CONTRACTIONS

Complete the sentences with the missing prepositions, contractions, and articles.

de	del	a	al	la	los	las

La familia

1. Humberto es el sobrino _____ _____ Sra. López.

2. La novia _____ mi hermano es guapa.

3. Mis abuelos son _____ Bolivia.

4. El hermano _____ doctor Sánchez está en Australia ahora.

5. La foto es _____ hermano de Ana.

6. Vamos _____ _____ casa _____ _____
   primos _____ Ana el sábado.

7. Elena recibe mucho dinero _____ sus abuelos.

8. Mi padre va _____ laboratorio _____ _____ ocho de la
   mañana.

9. El color _____ coche _____ mi padre es rojo.

De compras

1. Vamos _____ almacén _____ _____ Hermanos Ramos.

2. La chaqueta _____ algodón es muy bonita.

3. La ropa _____ profesor Jaenes es muy cara.

4. Mis hijas van _____ supermercado para comprar café.

5. Llegan _____ _____ tienda _____ _____
   dos de la tarde.

6. El impermeable _____ niño es _____ plástico.

7. El nombre _____ almacén donde compramos nuestra ropa es Galerías.

PRÁCTICA: ENSALADA GRAMATICAL: ESTE FIN DE SEMANA

Me gusta asistir a (1. este / esta) _____ universidad, porque es

muy (2. gran / grande) _____ y siempre hay mucho que hacer (3. las / los)

_____ fines de semana. Este fin de semana, por ejemplo, (4. está / hay)

_____ un partido (*game*) de fútbol norteamericano entre (5. mi/su) _____

universidad y (6. nuestro) _____ rivales. Muchos estudiantes de la otra universidad

(7. venir / llevar) _____ a ver (*see*) el partido, y muchísimos estudiantes de

nuestra universidad (8. asistir / ser) _____ también. El partido (9. es / está)

_____ el sábado (10. en / a) _____ las cuatro de la tarde. Todo (11. el /

la) _____ día antes (12. de / del) _____ partido, hay muchas fiestas.

Pero, ¡qué terrible! La clase de español (13. tener que / tener ganas de) _____

tomar (14. un / el) _____ examen el viernes antes del partido. Los estudiantes

(15. desear / necesitar) _____ tomar el examen (16. el / la) _____ jueves,

pero los profesores dicen (*say*) que eso es imposible. Ahora los estudiantes no están muy

(17. contento) _____, y (18. creer / comer) _____ que los profesores

son antipáticos. Es (19. un / una) _____ problema, pero la clase simplemente no

(20. poder / tener) _____ tomar la prueba antes. Por eso, todos los estudiantes

(21. ir / desear) _____ a salir inmediatamente después de clase. Tienen mucha

(22. razón / prisa) _____ y (23. querer / ir) _____ terminar de tomar el

examen pronto.

¿(24. Cuándo / Qué) _____ otros eventos hay este fin de semana? Bueno, mis

compañeros de cuarto, Ramón y Esteban, (25. venir / desear) _____ ir al cine (*movies*)

(26. este / esta) _____ noche. A Ramón le (27. gusta / gustan) _____

las películas (*films*) de ciencia-ficción, pero Esteban (28. preferir / querer) _____

las películas extranjeras. Y el sábado (29. por / a) _____ la noche, mi amiga Leticia

quiere ir a un concierto de música (30. latinoamericano) _____. Mis (31. hijos /

primos) _____ Juanjo y Rebeca tienen (32. ganas / sueño) _____ de ir

(33. al / a la) _____ museo de la universidad el domingo por la mañana. Yo (34. ir /

querer) _____ a ir con ellos, y después, por (35. el / la) _____ tarde, voy

al centro comercial. Ahora hay unas (36. tiendas / rebajas) _____ fabulosas en mi

almacén (37. favorito) _____. Quiero (38. comprar / regatear) _____ una

blusa (39. de / a) _____ seda, (40. unos / as) _____ pantalones (41. corto

_____, unas camisetas y tal vez (42. un / una) _____ traje de baño.

Después, por la noche yo (43. necesitar / tener) _____ (44. a / que) _____

estudiar para mis exámenes (45. el / la) _____ lunes.

REPASO: CAPÍTULO 4

I. Vocabulario

A. 1. ¿Qué ropa llevamos en julio? ¿en diciembre? ¿en abril?

_____

2. ¿Qué ropa generalmente llevas a clase?

_____

B. ¡Qué desastre! You picked up someone else's suitcase at the airport. For the lost baggage form, describe some of the unique items in the suitcase you picked up, then describe the unique items in your own suitcase. Be careful with agreement.

Someone else's suitcase	Your suitcase
an old suit	an orange shirt
a grey bathing suit	some new sandals
a red raincoat	yellow shorts
purple socks	a blue and red scarf

1. En la otra maleta (_suitcase_), hay:

_____

_____

2. Pero en <u>mi</u> maleta hay:

_____

_____

II. Gramática

A. <u>Demostrativos.</u> Complete the sentences with the correct demonstrative adjective.

1. Quiero ir a (_this_) _____ tienda, no a (_that, over there_) _____
   mercado.

2. ¿Es para mí? ¡(_This_) _____ es una sorpresa!

3. (_That_) _____ niño es su hijo.

4. (_This_) _____ semana voy a estudiar más.

5. (_Those_) _____ señoras vienen a hablar con mi mamá.

6. ¿Qué quieres hacer (_this_) _____ tarde? ¿Solo comer? ¿(_That_) _____
   es todo?

7. —¿Qué es (_that_) _____?

   —¿(_This_) _____? Es un sombrero.

B. Los verbos nuevos. Complete with the correct form of the most logical verb.

Estudiantes irresponsables. (Verbos posibles: **tener, venir, querer, poder**)

1. ¿Por qué _____ Uds. a clase sin los libros de texto?

2. Si Uds. _____ aprender, _____ que llegar a clase con los libros.

3. Nosotros no _____ estudiar los verbos nuevos hoy porque

   Uds. no _____ los libros.

De compras. (Verbos posibles: **preferir, tener, querer, poder**)

Dependienta: ¿Qué camiseta 4. _____, la roja o la verde?

   Lupita: (Yo) 5. _____ la roja, pero 6. _____ que comprar la

   verde porque mi madre 7. _____ el color verde.

Dependienta: 8. _____ comprar la roja para Ud. y la verde para su madre.

C. Expresiones con **tener**. Summarize the situations using an expression with **tener**.

1. Son las tres de la mañana, y estamos en la biblioteca porque hay un examen mañana.

   _____

2. Marco cree que la capital del estado de California es Los Ángeles.

   _____

3. Trabajo en el laboratorio de computadoras a las tres. Ya (*Already*) son las tres y cinco.

   _____

4. Estoy solo en casa, mirando (*watching*) una película (*film*) de horror en la televisión.

   _____

D. Ir + a + *infinitive*. Answer the questions in a complete sentence.

1. ¿Cuándo vas a regresar a casa hoy?

   _____

2. ¿Cuándo vas a estudiar para el examen de español?

_____

3. ¿Qué van a hacer (*to do*) tú y tus amigos este fin de semana?

_____

4. ¿Qué vas a hacer esta noche?

_____

E. Preguntas personales. Contesta las preguntas con una oración completa.

Tú:

1. ¿Qué quieres hacer (*to do*) mañana?

_____

2. ¿Qué ropa prefieres llevar a las fiestas?

_____

3. ¿Con quién hablas cuando tienes miedo? ¿Por qué?

_____

4. ¿Con qué frecuencia vienes a la clase de español?

_____

Tú y tus amigos:

5. ¿Prefieren Uds. las clases por la mañana o por la tarde? ¿Por qué?

_____

6. ¿Cuántos libros tienen que comprar para la clase de español? ¿Y para tus otras clases?

_____

7. ¿Dónde prefieren estudiar Uds., en casa o en la biblioteca? ¿Por qué?

_____

8. ¿Por qué quieren Uds. aprender español?

_____

F. <u>Preguntas y respuestas</u>. Form eight questions about the lives of the rich and famous by combining the question words from Column A with the verbs in Column B, and the celebrities. Then answer your own questions, based on what you think these celebrities are doing.

Modelo: ¿Qué tiene que hacer Tiger Woods mañana?
Tiene que comprar una gorra nueva.

¿Qué?	ir + a + *infinitive*	Barack Obama
¿Cómo?	necesitar	Bill Gates
¿Cuándo?	tener que + *infinitive*	Johnny Depp
¿Adónde?	preferir	Lady Gaga
¿Cuánto/a/os/as?	querer	LeBron James
¿A qué hora?	poder	Jennifer López
¿Por qué?	tener ganas de + *infinitive*	Brad Pitt
¿Quién?	deber	Anderson Cooper

_____

_____

_____

_____

_____

_____

_____

ENTREVISTA: LOS PLANES DE LA CLASE DE ESPAÑOL

Take a stroll around the room and ask your classmates about their plans for the future, and in turn answer their questions about your plans. Use the **ir + a +** *infinitive* structure to form your questions and replies, and <u>write down</u> the responses you get on this sheet. Ask a different question of each classmate.

Modelo:

You: Pete, ¿qué vas a hacer después de (*after*) clase?

Pete: Voy a regresar a la residencia y voy a tomar una siesta.

(You write): Pete va a regresar a la residencia y va a tomar una siesta.

¿Qué vas a hacer... *(What are you going to do . . .)*

después de clase?

_____

esta noche?

_____

mañana antes de (*before*) la clase de español?

_____

este fin de semana?

_____

para las vacaciones de primavera (*spring break*)?

_____

antes de tus exámenes finales?

_____

después de tus exámenes finales?

_____

después de graduarte (*after graduating*)?

_____

INFORMATION GAP ACTIVITY: EL REGALO PERFECTO

You and your partner need gifts for your imaginary family members, listed under *Pariente* in the chart below, but first you need to find out more about these relatives. Ask your partner questions and fill in the missing pieces of information on your chart, and answer your partner's questions using the information in your chart. Then discuss gift ideas together and write your suggestions below.

Preguntas útiles:

¿Cuántos años tiene _____?   ¿Qué tipo de ropa prefiere llevar?

¿Cuál es el color favorito de _____?   ¿Qué le gusta hacer?

Compañero/a #1

Pariente	Tiene _____ años	Su color favorito es...	Prefiere llevar...	Le gusta...	Un buen regalo es...
el tío Javier		el rojo		jugar al golf y tenis	
la abuela	67		moda de Gucci y Chanel		
el primo Carlos		el negro		ir a clubes, escuchar música	
Mamá	46		ropa informal		

Compañero/a #2

Pariente	Tiene _____ años	Su color favorito es...	Prefiere llevar...	Le gusta...	Un buen Regalo es...
el tío Javier	34		ropa deportiva (*sporty*)		
la abuela		el rosado		asistir a conciertos, ir a museos	
el primo Carlos	21		ropa de los años 60 y 70		
Mamá		el verde		trabajar en el jardín, tocar el piano	

Speaking Activities

GUIDED WRITING AND SPEAKING: UNA CAFETERÍA

A. Study the image and then work with a partner to form six questions about the scene in the cafeteria. Find a new partner to answer your questions. Use your imagination and the vocabulary from Chapters 1-4.

¿Por qué?	¿Quién?	¿Dónde?	¿Cómo?	¿A qué hora?	¿Qué?

1. _____
2. _____
3. _____
4. _____
5. _____
6. _____

B. Next, imagine you are one of the characters in the drawing. Write a 100-word e-mail home about your classes, roommate, dorm and new friends.

C. Now, with a partner, role-play a dialogue between any two characters in the drawing. One person tries to make plans and the other person turns him/her down. Use the following expressions to extend and decline an invitation: **¿Te gustaria...?** (*Would you like. . .?*) **¿Por qué no vamos a...? Cuánto me gustaría, pero..., Lo siento, es que..., Es que no puedo..., Gracias, pero tengo que...**

DIÁLOGOS

With a classmate, write a short dialogue based on one of these situations. Use the cues as a guide. Be prepared to role-play your dialogue with your partner for the class.

1. **Ropa para la boda** (*wedding*) You and your friend are invited to a wedding, and you both need something to wear. Have a conversation in which you and your friend

 • decide where you are going to go clothes shopping, and what you have to buy;
 • describe your ideal outfit (type of clothing, color, material);
 • talk about what you feel like doing after shopping.

_____

_____

_____

_____

_____

2. **De vacaciones en Puerto Rico** You and your roommate are packing for a Spring Break trip to Puerto Rico. With your roommate discuss

 • what clothing you have and what you need to buy;
 • what you want to do in Puerto Rico and where you're going to go;
 • why you prefer going to Puerto Rico instead of going to your parents' house.

_____

_____

_____

_____

_____

Expresiones útiles

¿Por qué no vamos a...?	Está bien./Vale. (*Okay.*)
¿Qué te parece...? (*What do you think of . . .?*)	Me parece...
No me gusta para nada.	Bárbaro./Estupendo./Regio. (*Great.*)
Es divertido/aburrido. (*It's fun/boring.*)	Para mí... (*In my opinion . . .*)
¡Suena bien! (*Sounds good!*)	Es ideal/una pesadilla. (*It's perfect/ a nightmare.*)

Speaking Activities

KEY LANGUAGE FUNCTIONS: DESCRIPTION

One of the major goals of this course is to help you learn enough vocabulary and grammar to be able to describe yourself and other people accurately. In order to do this well, you need vocabulary to describe physical characteristics and personality traits, and you need to know how to conjugate the verb **ser.** You also need to be very aware of noun-adjective agreement **(la mujer rubia, mis primos locos).**

To construct a description →	Vocabulary →	Linguistic Tools Needed:
		• correct conjugation of **ser**
		• noun-adjective agreement

Take turns with a partner describing the following people. Include what the person looks like and something about his/her personality. Try to give three sentences for each person. Don't forget your vocabulary from previous chapters and the linguistic tools shown above.

1. A famous person

2. Your roommate

3. Your instructor

4. Your craziest relative

5. The oldest person you know

6. A child in your family

7. Yourself

8. One of your classmates

CAPÍTULO
5

Communicative Goals for Chapter 5

By the end of the chapter, you should be able to:

- discuss weekly and daily routines ❑
- describe where you live ❑

Grammatical Structures

You should know:

- more stem-changing verbs ❑
- reflexive pronouns ❑

PRONUNCIACIÓN

A.   Listen as your instructor reads these sentences, then practice them with a partner.

1.   Esta semana salgo con Víctor Vásquez el viernes, César Serrat el sábado y Diana Dolores del Duero el domingo.

2.   Las sicólogas suecas, Sara y Susana, venden sillones, sofás y sillas super-sofisticadas.

3.   Conchita Correa quiere comprar una casa en Cáceres con comedor cómodo y cama de agua.

4.   Pablo y Pilar piensan poner unos pocos preciosos platos portugueses en las paredes y unas plantas pequeñas en el patio.

LISTENING COMPREHENSION: UNA CASA NUEVA

You will hear a friend describing her plans for furnishing her new house. On the left, list what she and her housemate already have for the house; on the right, list what they still need. You will hear the passage twice.

Vocabulario útil

ya   already

<u>Ellas tienen:</u>

_____

_____

_____

_____

_____

_____

<u>Ellas necesitan:</u>

_____

_____

_____

_____

_____

_____

LISTENING COMPREHENSION: LA RUTINA DE CHELA

Listen as your instructor reads a passage describing Chela's weekday and weekend routines. The first time you listen, fill in the chart below with the times Chela does the activities during the week and on Sundays. The second time, listen for the answers to the true-false statements.

	los días de entresemana (*during the week*)	los domingos
Se acuesta a las...		
Se despierta a las...		
Se levanta a las...		
Se ducha y se viste a las...		
Se sienta para comer o tomar algo a las...		

¿Cierto o falso? Corrige las oraciones falsas.

1. ☐ C ☐ F   Chela tiene la misma (*same*) rutina todos los días.

2. ☐ C ☐ F   Se acuesta más temprano el domingo que durante la semana.

3. ☐ C ☐ F   Insiste en comer algo (*something*) por la mañana todos los días.

4. ☐ C ☐ F   Por lo general, tiene prisa por la mañana durante la semana.

5. ☐ C ☐ F   Trabaja a las nueve y cuarto en la universidad.

6. ☐ C ☐ F   Chela prefiere levantarse inmediatamente después de despertarse.

7. ☐ C ☐ F   Los domingos, antes de leer el periódico, se ducha y se viste.

LOS VERBOS NUEVOS: IRREGULAR AND STEM-CHANGING

irreg. → yo	e → ie	o (u) → ue	e → i
hacer	cerrar	almorzar	pedir
poner	empezar	dormir	servir
salir	pensar	jugar	
	perder	volver	
	preferir		

1. Marta y José _____ al tenis todos los días. Después, _____ en el Café Continental, _____ a su apartamento y _____ una siesta corta.

2. En ese restaurante (ellos) _____ comida italiana muy buena. Siempre (yo) _____ ir allí cuando _____ con mis amigos. (Nosotros) _____ una pizza grande casi siempre.

3. (Yo) _____ a Boston mañana, donde _____ un trabajo (*job*) nuevo. (Yo) _____ que mi nuevo trabajo va a ser interesante.

4. No me gusta _____ al basquetbol con mi amiga Luisa, porque cuando ella _____, está furiosa y _____ a su casa en seguida. (Yo) _____ jugar con Rafael y Gabriela.

5. ¡Mi compañero de cuarto es un desastre! Siempre me _____ cosas: dinero, comida (*food*), mi camisa favorita... ¡Y después, (él) _____ todas mis cosas! (Él) _____ todo el día, no _____ la puerta del baño nunca, y _____ a casa muy tarde todas las noches. _____ que voy a buscar otro compañero el próximo semestre.

6. Quiero estar en buena forma (*good shape*). Por eso, (yo) _____ ocho horas de noche, _____ siempre una ensalada, _____ deportes y _____ ejercicio.

PRÁCTICA DE VERBOS

Complete las siguientes oraciones con la forma correcta del verbo más lógico entre parénthesis.

En la universidad

1. ¿(Entender / Pensar - tú) _____ todas las palabras nuevas?

2. En clase mañana, (tener / ir - nosotros) _____ que tomar un examen.

3. Si tú (tener / traer) _____ un examen, entonces (*then*) debes (ver / leer) _____ tu libro de texto.

4. La profesora (vender / venir) _____ a clase tarde a veces.

En la residencia

5. (Salir / Servir - ellos) _____ tacos, hamburguesas y pizza en la cafetería.

6. Patricio no (poner / poder) _____ descansar ahora, porque su compañero de cuarto quiere (oír / ver) _____ el partido (*game*) de béisbol en la tele.

7. Yolanda (volver / vivir) _____ tarde a la residencia porque hoy (entender / empezar) _____ su nuevo trabajo en la librería.

8. Yo no (deber / dormir) _____ bien en la residencia, porque mis compañeros de cuarto (tener / hacer) _____ mucho ruido.

En el centro

9. Yo (almorzar / beber) _____ en el centro todos los días.

10. En ese almacén, Uds. pueden (comprar / regatear) _____ de todo.

11. Cuando yo (ser / salir) _____ con mis amigos, nosotros (ver / ir) _____ al Café «La Mallorquina» para tomar café y hablar.

12. ¿Qué (hacer / ir) _____ tú esta tarde? ¿(Venir / Querer) _____ ir de compras conmigo?

La familia

13. Mis tíos siempre nos (traer / venir) _____ regalos cómicos para nuestros cumpleaños (*birthdays*).

14. Este fin de semana, nosotros (pedir / pensar) _____ visitar a los tíos.

15. En casa de mis tíos, yo (ver / jugar) _____ con mis primitos y Ana (ser / salir) _____ con la tía Isa.

16. Después de (ver/oír) _____ a los tíos, Ana y yo (pensar / pedir) _____ ir a la casa de nuestros amigos también.

ENSALADA GRAMATICAL I: STEM-CHANGING VERBS

Complete los siguientes pasajes con la forma correcta de las palabras entre paréntesis.

1. Mis amigas Sara y Anita _____ (almorzar) en casa, pero yo (preferir)

   _____ almorzar en un café. Hay un café en mi barrio donde (servir-ellos)

   _____ comida (*food*) italiana muy (bueno) _____. Siempre

   (pedir-yo) _____ el mismo plato: lasagna. Después de almorzar, (volver-yo)

   _____ a (el / la) _____ universidad y (empezar)

   _____ a estudiar.

2. (Dormir-yo) _____ ocho horas de noche, pero mi amigo José (dormir)

   _____ solo cinco o seis. (Mucho) _____ veces, él (estar)

   _____ cansado porque (este) _____ días (trabajar)

   _____ en un almacén veinticinco horas (de / a) _____ la

   semana. (Creer - yo) _____ que José (deber) _____ descansar

   más. Pero (ir - él) _____ a la biblioteca todas las noches y no (volver)

   _____ a la residencia hasta (los / las) _____ doce, cuando la

   biblioteca se (cerrar) _____. José (pensar) _____ ser profesor de

   español en el futuro; por eso, (tener) _____ que trabajar mucho ahora.

3. (Este) _____ fin de semana, no (querer - yo) _____ estudiar.

   (Pensar - yo) _____ salir con unos amigos. Nosotros (ir) _____

   a ir al cine o tal vez a un partido de béisbol. (Mi) _____ amigos y yo

   (pensar) _____ que el béisbol es un deporte (*sport*) muy (divertido)

   _____, pero (este) _____ año nuestro equipo (*team*) favorito

   (perder) _____ mucho. A veces, después (de/del) _____

   partido, nosotros (jugar) _____ en el parque. Yo no (jugar)

   _____ muy bien, pero mi amiga Beatriz (ser) _____ excelente.

ENSALADA GRAMATICAL II:
UN LUNES DIFÍCIL PARA PEPE

Complete the following passage, conjugating the verbs in parentheses. Remember that in Spanish the subject is not always directly stated, so read carefully. Answer the questions at the end of the passage.

No me (1. gustar) _____ levantarme los lunes porque siempre (2. tener - yo) _____ muchos problemas ese día. Por ejemplo, (3. tener) _____ clase a las ocho de la mañana. Es la clase de español. Normalmente no está mal la clase pero hoy (4. ser) _____ una excepción. (5. Estar -yo) _____ muy cansado y no (6. poder) _____ escuchar a la profesora. ¡Casi me (7. dormir) _____ en clase! Además (*Besides*), (8. tener - yo) _____ hambre y mi estómago (9. hacer) _____ mucho ruido. En clase (10. Practicar - nosotros) _____ la gramática un poco; también (11. hacer) _____ unos diálogos. Unos estudiantes no (12. entender) _____ los verbos irregulares porque estos verbos (13. ser) _____ muy difíciles. Esta noche (14. ir - yo) _____ a estudiar con una amiga de mi clase, pero ahora (15. preferir) _____ ir a la cafetería para tomar un café colombiano.

Preguntas

1. ¿Qué problemas tiene Pepe esta mañana?

   _____

2. ¿Qué hacen en clase hoy?

   _____

3. ¿Qué no entienden unos estudiantes? ¿Por qué?

   _____

4. ¿Qué va a hacer Pepe esta noche?

   _____

5. ¿Qué prefiere hacer ahora?

   _____

6. ¿Por qué necesita un café colombiano?

   _____

PRÁCTICA: REFLEXIVE ACTIONS

Complete the passages below. Remember to use the correct reflexive pronoun to match the subject.

me acuesto	**nos** acostamos
te acuestas	**os** acostáis
se acuesta	**se** acuestan

I. Tengo una familia muy grande. Todos los días, mis hermanos y yo (1. *get dressed*)

_____ antes de salir para la escuela. Los hermanos pequeños (2. *bathe*)

_____ por la noche, pero yo (3. *shower*) _____ y (4. *wash*)

_____ el pelo (*hair*) por la mañana. Mi hermana Cristina está cansada

porque no (5. *goes to bed*) _____ hasta muy tarde. Mi hermano Joaquín

trabaja en un banco. Es muy elegante y todos los días (6. *he puts on*) _____

una corbata de seda. Papá (7. *shaves*) _____ todos los días justo en el

momento en que Mamá necesita (8. *comb her hair*) _____, y los dos tienen

que compartir el espejo (*share the mirror*). Nosotros siempre (9. *enjoy ourselves*)

_____ mucho con seis personas, dos perros y un gato en la familia.

II. ¡BZZZZZZZ! Yo (1. acostarse / despertarse) _____ a las siete y media de

la mañana, pero no (2. levantarse / sentarse) _____ hasta las ocho. Tomo

un café y luego voy al baño para (3. ponerse la ropa / ducharse) _____.

Después de planchar (*iron*) una blusa muy rápido, (4. vestirse / afeitarse)

_____. Desayuno y miro el programa «¡Buenos días!» en la tele. Después,

(5. ponerse / comprarse) _____ los zapatos y un suéter porque hace frío y

salgo para la universidad.

   Cuando regreso a casa por la tarde, estoy cansada. (6. Peinarse / Acostarse)

_____ en el sofá para mirar el noticiero de las cinco. Empiezo a

estudiar a las siete y media, y estudio hasta las diez y media. Después, (7. lavarse /

quitarse) _____ la ropa, (8. ponerse / vestirse) _____ el

pijama, (9. cepillarse / peinarse) _____ los dientes y (10. lavarse / afeitarse)

_____ la cara. Por fin, (11. acostarse / dormirse) _____ a las

once, y, después de leer un rato (*awhile*), (12. dormirse / despertarse) _____.

¡Hasta mañana!

REFLEXIVE ACTIONS: LA RUTINA DE MARISOL Y CARLOS

Use reflexive verbs to write six questions about Marisol and Carlos' morning routine. Then with a partner, answer each other's questions.

Verbos útiles:

afeitarse
bañarse
despertarse
levantarse
peinarse
ponerse
quitarse
vestirse

_____

_____

_____

_____

_____

_____

REPASO: CAPÍTULO 5

I. Vocabulario

A. Correspondencias. Match the word on the left with an associated action or actions on the right.

la cama	afeitarse
el baño	levantarse
la alcoba	ducharse
la sala	almorzar
la cocina	hacer la tarea
el comedor	poner / quitar la mesa
el escritorio	vestirse
la cómoda	acostarse
	peinarse

B. La rutina de Diego. Using the drawings as a guide, write a short paragraph describing a typical morning for Diego.

_____

_____

_____

_____

_____

_____

C. <u>La rutina diaria</u>. Now use six reflexive verbs to describe your daily routine.

_____

_____

_____

_____

_____

_____

D. <u>Los días de la semana</u>. What do you do or like to do on different days of the week? Complete the sentences.

1. Los lunes, generalmente...

   _____.

2. Los miércoles, prefiero...

   _____.

3. Los jueves, voy a...

   _____.

4. Los viernes, salgo con...

   _____.

5. Los sábados, no me gusta...

   _____.

6. Los domingos, me gusta...

   _____.

II. <u>Gramática</u>

A. <u>Verbos nuevos</u>. Complete the sentences with the correct form of one of the verbs according to the context. In each section, each verb will only be used once.

<u>En casa los domingos</u>: **despertarse / almorzar / salir / afeitarse / jugar / sentarse / dormir / volver / ponerse / ducharse**

1. Papá _____ en el sofá y Javier _____ en el baño.

2. Mamá _____ un poco tarde, a las nueve, y despúes _____ con la tía Mercedes.

3. (Yo) _____ en el sillón grande para leer el periódico.

4. Mi hermano Daniel _____ al fútbol en el parque y después

   _____ a casa, _____ y

   _____ mejor (*better*) ropa para visitar a su novia.

5. Todos _____ juntos (*together*) a las dos en la cocina. ¡Tenemos

   hambre!

<u>En la residencia</u>: **hacer / salir / bañarse / servir / acostarse / ducharse / dormir / volver / afeitarse / perder**

1. En la cafetería, (ellos) _____ comida (*food*) buena y barata.

2. Mi compañero, Martín, tiene una vida (*life*) complicada: _____

   con tres chicas a la vez (*at the same time*), siempre _____ a la

   residencia muy tarde y con frecuencia _____ su tarea.

3. Todos usamos un baño común. Allí (nosotros) _____,

   _____, _____, etcétera.

4. No _____ muy bien de noche porque los muchachos en el otro

   cuarto _____ mucho ruido y _____ a las tres

   de la mañana.

III. Diálogo

Ana and Lola are trying to decide if they would make good roommates.
Write a dialogue in which they discuss:

Ana   Lola

- their daily routines
- their study habits
- the kind of music they like
- what they do to have fun on the weekends

_____

_____

_____

_____

_____

_____

_____

_____

_____

¡A CONVERSAR!: EN UNA FIESTA

Pretend you are at a party. Use these questions to get to know the other guests.

<u>Una presentación:</u>
- Hola, ¿qué tal? Eres _____, ¿verdad?
- Soy _____, mucho gusto.
- Encantado / Encantada (Igualmente).

En la universidad

¿De dónde eres?	¿Te gusta la universidad? ¿Por qué?
¿Dónde vives este semestre?	¿Cuál es tu especialización?
¿Te gusta tu residencia / casa?	¿Qué quieres hacer en el futuro?

La familia

¿Tienes una familia grande?	¿Qué hacen tus hermanos?
¿Cómo son tus padres?	¿Cuántos años tienes tú?
¿Dónde viven ellos?	¿Qué te gusta hacer con tu familia?
¿Tienes hermanos? ¿Cuántos años tienen?	¿Cuándo viene tu familia de visita?

La comida

¿Tienes un restaurante favorito?	¿Dónde comes normalmente?
¿Cuáles?	¿Comes con tu familia frecuentemente?
¿Cómo es? ¿Qué sirven?	¿Qué te gusta comer cuando vuelves a casa?

El tiempo libre

¿Qué te gusta hacer en tu tiempo libre?	¿Qué programas te gustan?
¿Qué haces los viernes por la noche?	¿Te gusta bailar?
¿Miras mucho la televisión?	¿Adónde te gusta ir los fines de semana?

<u>Una despedida:</u>
Con permiso, tengo que hablar con _____.
Hasta luego. Ha sido un placer (*It's been a pleasure*).

<u>Posibles reacciones</u>

Vale. (*Okay.*)	Claro. (*Of course.*)
¡Qué va! (*No way!*)	¿De verdad? (*Really?*)
¡No me digas! (*You're kidding!*)	¡Qué interesante! (*How interesting!*)
¡Qué casualidad! (*What a coincidence!*)	¡Qué bien! (*How nice!*)

GUIDED WRITING AND SPEAKING: EN CASA

A. Using the drawing and your imagination, answer the following questions in complete sentences in Spanish. Pay careful attention to the way the questions are phrased in order to use the correct structures in your answers.

1. What day of the week is it? How do you know?
2. With whom is Rosalía talking?
3. Who is Isabel and what is she doing with her daughter?
4. What is Carlitos doing?
5. What does doña Lupe want to do this afternoon?
6. What time does Sergio usually wake up from his nap?

B. Next, imagine you're an exchange student living with this family. Write a 100–word e-mail home about how you spend a typical Sunday with them.

C. With a partner, role-play a dialogue between any two characters in the drawing.

ROUND ROBIN: GRAMMAR MONITOR ACTIVITY

In this activity you will work in groups of three. Each partner will alternate roles until all three of you have (1) described the routine of one of the characters; (2) asked questions to get more information; and (3) served as the grammar monitor.

Matilde y Jorge

Rocío y Pepe

Guille y Sara

Partner A: Describe one of the characters. Include personality characteristics and how he/she is feeling today. Then use your imagination to describe a typical day for this person.

Partner B: Listen carefully as Partner A describes one of the characters and his/her routine. Then ask two questions to get more information about him/her.

Partner C: As the grammar monitor, your job is to listen for agreement errors that Partners A and B may make. Write down any errors you may hear. Also listen for the proper use of the reflexive verbs. Example: *Rocío es alta y delgado. Levanta a las seis.* Note that *delgado* should be *delgada* and that the verb should be *se levanta.* When Partners A and B are finished, give them feedback on whether or not they are doing well on noun/adjective agreement and reflexive verbs.

Now switch roles. Partner A takes the role of Partner B (the person asking questions), Partner B takes the role of Partner C (the grammar monitor), and Partner C takes the role of Partner A (the describer).

BINGO: MI CASA Y MI RUTINA

_____ se levanta a las siete.	_____ tiene una cama de agua (*water bed*).	_____ sale todos los viernes.	_____ hace su tarea en la cama.	_____ se afeita antes de la clase de español.
_____ no tiene televisión.	_____ tiene una alfombra en su alcoba.	_____ va a salir de casa este fin de semana.	_____ la alcoba de es un desastre.	_____ se duerme en clase a veces.
_____ canta mientras (*while*) se ducha.	_____ almuerza en McDonald's mucho.	_____ juega al tenis muy bien.	_____ vuelve a casa muy tarde los viernes por la noche.	_____ se levanta temprano los sábados.
_____ va a la iglesia (*church*) los domingos.	_____ tiene que despertarse temprano los domingos.	_____ estudia en la cocina.	_____ sale con alguien esta noche.	_____ va a ir a una fiesta este sábado.
_____ tiene tres clases los martes.	_____ siempre hace su tarea para la clase de español.	_____ tiene un sofá feo.	_____ siempre se divierte los sábados.	_____ hace deportes los fines de semana.

COMMUNICATIVE GOALS PRACTICE #3

Try to talk about the Muñoz family for 60 seconds. "Show off" all you have learned up to this point in the semester. Check the **Communicative Goals** boxes at the beginning of each chapter of your Supplement to see all that you should be able to do. For this second oral proficiency practice, the following topics are suggested. Try to use connectors (**porque, pero, y, también, por eso**) to make your description sound more fluent and natural.

1. Time
2. Description (age, personality, physical appearance, clothing)
3. Family relationships
4. Description of their house
5. Actions taking place
6. Future plans
7. Routines of family members

Laura   Ben   Memo

Lourdes   Nando

After you've finished your description, work with a partner, taking turns to ask questions of at least two of the characters in the scene. Your partner, using his/her imagination, will answer the questions.

    ¿Cómo? ¿Qué? ¿Cuál? ¿Cuándo? ¿Cuánto/a/os/as? ¿Cuándo? ¿Dónde? ¿De donde? ¿Quién? ¿Por qué? ¿De quién?

CAPÍTULO
6

Communicative Goals for Chapter 6

By the end of the chapter, you should be able to:

- talk about the weather ❏
- describe what you do seasonally ❏
- point out where things are located ❏
- talk about what you are doing right now ❏
- describe personality traits and conditions ❏
- make simple comparisons ❏

Grammatical Structures

You should know:

- prepositions of place ❏
- present progressive ❏
- **ser** vs. **estar** ❏
- **más/menos... que** ❏
- **tan... como** ❏
- **tanto/a/os/as... como** ❏

PRONUNCIACIÓN: LOS SONIDOS *RR* Y *R*

Remember that Spanish has two **r** sounds. The single **r** is pronounced like the double *d* in *ladder*; the trilled **r** is written **rr** between vowels (**carro**), and **r** at the beginning of a word (**rosa**). Listen as your instructor pronounces these pairs of words, then repeat.

ahora / ahorra	coro / corro	caro / carro
cero / cerro	pero / perro	coral / corral

Now listen as your instructor reads these sentences, then practice them with a partner.

1. El perro pardo es para Laura Rosario Romano.
2. Los ricos requieren ropa cara y carros rápidos.
3. Ahora es la hora de revisar los horribles errores de Ricardo.
4. Las rosas amarillas son para la prima de Ramiro.
5. Los ratones ruidosos corren rápidamente por los corredores.

Listen as your instructor reads some Spanish proverbs, then repeat. Can you match each proverb to its English equivalent?

_____ 1. Al perro viejo, no hay tus tus.

_____ 2. Cuando a Roma fueres, haz como vieres.

_____ 3. La ropa sucia se debe lavar en casa.

_____ 4. Perro ladrador, poco mordedor.

_____ 5. Donde más hondo el río, hace menos ruido.

_____ 6. Cuando una puerta se cierra, ciento se abren.

a. Still waters run deep.
b. A dog's bark is worse than its bite.
c. When one door shuts, another one opens.
d. You can't teach an old dog new tricks.
e. When in Rome, do as the Romans do.
f. Don't air your dirty laundry in public.

LISTENING COMPREHENSION: EL BOLETÍN METEOROLÓGICO

You will hear brief weather reports for five U.S. cities. As you listen, write the name of the city next to the drawing that best matches its weather description. Then complete the chart by listening for the high and low temperatures for that city and the weather forecast for the next day. One drawing will not be used. You will hear the reports twice.

	Ciudad	Temperaturas máximas y mínimas	Tiempo para mañana

LISTENING COMPREHENSION: ¿QUIÉN ES?

Your instructor will describe the people in the following drawings. Listen and fill in the names of the people being described.

PRÁCTICA: PRESENT PROGRESSIVE

¡Qué noche más divertida! Write a short paragraph about what everyone is doing at the Bar Paladino tonight. Use the present progressive.

Vocabulario útil

el mesero / el camarero   waiter

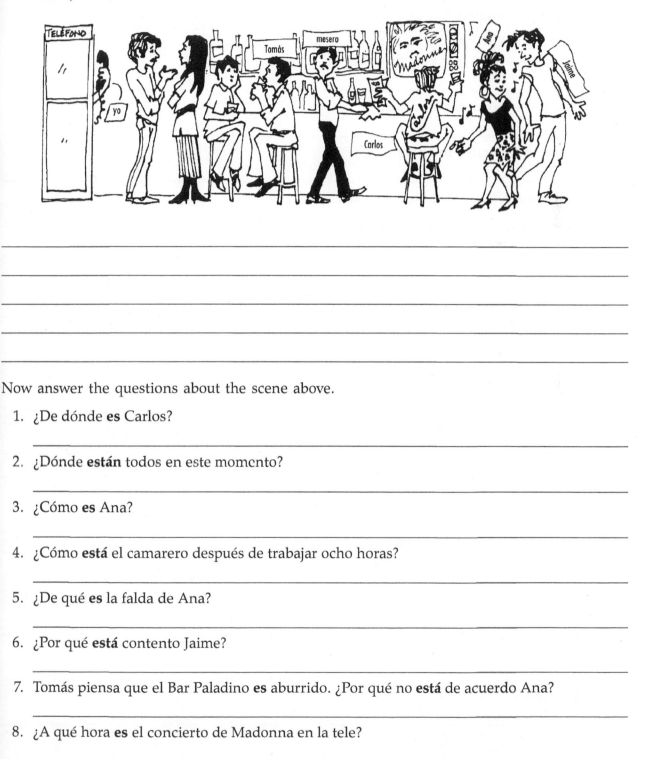

_____

_____

_____

_____

_____

Now answer the questions about the scene above.

1. ¿De dónde **es** Carlos?

_____

2. ¿Dónde **están** todos en este momento?

_____

3. ¿Cómo **es** Ana?

_____

4. ¿Cómo **está** el camarero después de trabajar ocho horas?

_____

5. ¿De qué **es** la falda de Ana?

_____

6. ¿Por qué **está** contento Jaime?

_____

7. Tomás piensa que el Bar Paladino **es** aburrido. ¿Por qué no **está** de acuerdo Ana?

_____

8. ¿A qué hora **es** el concierto de Madonna en la tele?

_____

¿SER O ESTAR?

With a partner, read the sentences and decide if you would need to use **ser** or **estar** for each. Explain your reasons.

1. Who <u>is</u> that gorgeous guy?

   _____

2. The bride <u>is</u> beautiful.

   _____

3. Yes, and the groom <u>looks</u> handsome in his tux.

   _____

4. Where <u>is</u> the father of the bride?

   _____

5. <u>He's</u> in the bar across the street.

   _____

6. <u>He's</u> furious because weddings <u>are</u> expensive.

   _____

7. When <u>is</u> the ceremony?

   _____

8. <u>It's</u> at 4.

   _____

9. <u>It's</u> hard to see the bride from here.

   _____

10. Which one <u>is</u> the bride's mother?

    _____

11. <u>She's</u> the tall lady up front.

    _____

12. She <u>is</u> very emotional!

    _____

13. For whom <u>are</u> all those presents?

    _____

14. They <u>are</u> for the newlyweds, of course!

    _____

15. Where <u>is</u> the groom from?

    _____

16. <u>He's</u> from Seattle.

    _____

17. <u>I'm</u> so happy I could cry.

    _____

¿SER O ESTAR?: PÁRRAFO

Complete the following paragraphs with the correct form of either **ser** or **estar**.

Hoy 1. _____ martes, y los estudiantes 2. _____ en el salón

de clase. 3. _____ las once y media, más o menos. ¿Qué pasa ahora en la clase

de español? Bueno, en este momento hacemos un ejercicio de gramática. En general, a los

estudiantes no les gusta mucho la gramática; unos 4. _____ aburridos ahora. Otros

5. _____ preocupados porque no comprenden las diferencias entre los dos verbos

ser y **estar**. Unos estudiantes miran a la profesora, y otros piensan en otras cosas: una siesta,

el fin de semana, etcétera.

¿Cómo 6. _____ los estudiantes de nuestra clase? Unos 7. _____

altos, otros 8. _____ rubios y otros 9. _____ de otros países. A veces,

cuando los estudiantes llegan a clase, 10. _____ cansados porque trabajan mucho y

11. _____ preocupados por sus problemas académicos. Hoy, sin embargo, nadie

(*nobody*) 12. _____ nervioso o de mal humor; la verdad es que todos parecen (*seem*)

13. _____ relativamente contentos. ¿Todos los estudiantes 14. _____ en

clase hoy o no? ¿Quiénes no 15. _____ aquí? ¿Qué 16. _____ haciendo

las personas ausentes.?

A la profesora le gusta la clase porque los estudiantes 17. _____

inteligentes, trabajadores y simpáticos. ¿Cómo 18. _____ la profesora hoy? Pues,

desgraciadamente (*unfortunately*) no 19. _____ muy bien; 20. _____

cansada. Pero normalmente ella 21. _____ una persona alegre.

En este momento los estudiantes 22. _____ ocupados con la gramática.

Hablamos de los verbos **ser** y **estar.** A veces 23. _____ difícil entender los usos

de los dos verbos. Pero 24. _____ muy importante saber (*to know*) cuándo se dice

(*one says*) **ser** y cuándo se dice **estar**. Uds. 25. _____ de acuerdo, ¿verdad?

VERBOS: ¿SER O ESTAR?

Select the correct words or phrases from those given to complete the following sentences.

Ejemplo: Ernesto Pérez es _____. (ocupado / cansado / aquí / profesor)
Ernesto Pérez es <u>profesor</u>.

1. Estoy en el hospital porque soy _____.
(enfermo / doctor / aquí / cerca)

2. Mi amigo está _____ hoy.
(cantante / de España / contento / argentino)

3. Sofía no es _____, pero vive ahora en Colombia.
(nerviosa / en el centro / colombiana / cerca)

4. Después de clase, estás _____.
(inteligente / viejo / cansado / de Alemania)

5. Nuestros perros son muy _____.
(frustrados / perezosos / enfermos / preocupados)

6. Hoy la profesora está _____.
(de Chile / actriz / preocupada / alta)

7. —¿Cómo estás?
—Estoy _____, gracias.
(de Uruguay / difícil / bien / inteligente)

8. Necesito un libro pero ahora la biblioteca está _____.
(grande / cerrada / alta / vieja)

9. Creo que mis padres están _____ ahora.
(simpáticos / inteligentes / en casa / morenos)

10. Vamos a estudiar más tarde; ahora estamos _____.
(presidentes / trabajadores / cansados / aquí)

11. La familia de Miguel es _____.
(cerca de la biblioteca / en la oficina / de acuerdo / de Panamá)

12. La mesa es _____.
(de plástico / en mi nombre / cerca de la puerta / detrás del profesor)

13. Estos platos están _____.
(de porcelana / de mi madre / sucios / viejos)

14. La playa está muy _____.
(bonita / cerca de aquí / grande / fea)

15. El libro es _____.
(cerrado / caro / encima del escritorio / debajo de la mesa)

¿SER O ESTAR?: PICTURE DESCRIPTIONS

Look at the four pairs of drawings below. For each pair of drawings, write:

- one sentence with **ser**, describing a person or a place in the drawing;
- one sentence with **estar**, explaining how one of the people feels, where she is, or what she is doing right now;
- one additional sentence about the drawing, using **ser** or **estar**

1.

2. _____

3. _____

1. _____

2. _____

3. _____

1. _____

2. _____

3. _____

1.

2. _____

3. _____

PRÁCTICA: LAS COMPARACIONES

I. Compare the pairs of items listed, using the adjective and the symbol to guide you.

1. Oprah Winfrey/Bill Gates/rico (+)

2. Rafael Nadal/Roger Federer/talentoso (=)

3. Chris Rock/Jon Stewart/cómico (+)

4. la vida (*life*) privada de Britney Spears/la vida privada de Lindsey Lohan/escandaloso (=)

5. Marc Anthony/los Beatles/popular (−)

6. los perros/los gatos/cariñoso (+)

7. Brad Pitt/Orlando Bloom/guapo (+)

8. Cameron Díaz/Meryl Streep/viejo (−) (¡OJO!)

II. Make five comparative statements about the people pictured, using the verbs below.

Alicia / Pedro (estudiar)

Delia / Pedro (comer)

Alicia / Delia (levantarse temprano)

Delia / Alicia (tener tiempo libre)

Alicia / Pedro (dormir)

Alicia   Delia   Pedro

1. _____

2. _____

3. _____

4. _____

5. _____

REPASO: CAPÍTULO 6

I. Vocabulario

A. ¿Qué tiempo hace? Based on the short descriptions of what people are doing or wearing, write a sentence saying what the weather is like:

1. Los turistas van a las montañas para esquiar: _____

2. Tomamos el sol y jugamos al voleibol en la playa: _____

3. El cielo (*sky*) está gris y estoy triste: _____

4. ¿Dónde están mis botas y mi impermeable? _____

5. ¡Uff! ¡Necesito tomar agua! _____

6. En Los Ángeles, no puedo ver ni respirar (*nor breathe*): _____

7. ¿Qué tal si vamos al parque para estudiar? _____

B. Asociaciones. ¿Qué asocias con los meses y las estaciones? Think of three associations for each month or season.

el otoño: _____

junio: _____

diciembre: _____

el verano: _____

septiembre: _____

diciembre: _____

la primavera: _____

C. ¿Dónde está? Un poco de geografía. Read the following statements and mark them as **cierto** or **falso**. Then check your answers using the maps in your book.

1. ☐ C   ☐ F   Nicaragua está al sur de México.

2. ☐ C   ☐ F   Portugal está al oeste de España.

3. ☐ C   ☐ F   Venezuela está cerca de Chile.

4. ☐ C   ☐ F   El Salvador está entre Guatemala y Honduras.

5. ☐ C   ☐ F   Panamá está lejos de Colombia.

6. ☐ C   ☐ F   La Argentina está al lado de Chile.

7. ☐ C   ☐ F   Tegucigalpa está al oeste de San Salvador.

8. ☐ C   ☐ F   La Ciudad de México está al este de la Ciudad de Guatemala.

II. Gramática

A. **¿Ser o estar?** Would you use **ser** or **estar** to talk about the following things? Indicate "S" or "E" next to each one, then check your work on **pp. 178–180** of *Puntos*. Write a sentence in Spanish for each item.

1. ☐ S ☐ E possession

_____

2. ☐ S ☐ E someone's current condition or emotional state

_____

3. ☐ S ☐ E what something is made of

_____

4. ☐ S ☐ E time

_____

5. ☐ S ☐ E inherent personality traits

_____

6. ☐ S ☐ E where something is

_____

7. ☐ S ☐ E agreeing with someone

_____

8. ☐ S ☐ E identifying someone or something

_____

9. ☐ S ☐ E nationality/origin

_____

B. **Ser vs. estar.** Complete the passage.

Hoy _____ jueves. _____ un día horrible. Llueve y hace mucho

frío. Tengo que _____ en casa todo el día. No puedo ir al parque. Pero

_____ posible ir al cine. La película que dan (*they are showing*) en el Cine Rex

_____ muy interesante. _____ a las dos y veinte de la tarde. Voy a

llamar a mis amigos. Si ellos _____ de acuerdo, todos vamos al cine esta tarde.

¡Va a _____ fenomenal!

C. <u>Comparativos</u>. Make comparative statements about the people depicted below. Use the cues in parentheses to determine if the comparisons are equal or unequal.

1. clases / Gloria / Inés (=)

_____

2. refrescos (*cold drinks*) / José / Ramón (=)

_____

3. amigos / Carlos / José (–)

_____

4. tarea / Gloria / Roberto (+)

_____

5. comer / Luis / José (+)

_____

6. ver televisión / Roberto / Inés (+)

_____

7. leer / Carlos / Gloria (=)

_____

8. estudiar / Luis / Gloria (–)

_____

D. ¿Qué están haciendo en este momento? Use the present progressive to tell what each member of the Hernández family is doing right now. Be careful with the reflexive pronouns.

1. _____

2. _____

3. _____

4. _____

5. _____

6. _____

E. Un sábado típico. Suppose that today is a typical Saturday. Using five different verbs in the present progressive, tell what you are doing at the following times.

1. Son las siete y cuarto de la mañana. _____

2. Son las diez de la mañana. _____

3. Es la una y media de la tarde. _____

4. Son las seis y media de la tarde. _____

5. Son las doce menos cuarto de la noche. _____

F. ¿Cuál fue (*was*) la pregunta? Write an appropriate question for the answers given.

1. ¿_____?
   Bogotá está en Colombia.

2. ¿_____?
   Los países centroamericanos son Guatemala, Honduras, El Salvador, Nicaragua, Costa Rica y Panamá.

3. ¿_____?
   Para mis próximas vacaciones, voy a Chile para esquiar.

4. ¿_____?
   Hay más de 122 millones de habitantes en México.

5. ¿_____?
   Carlos Fuentes, el escritor (*writer*), es de México.

III. Diálogo

You are sitting next to a good-looking stranger on a flight to Central America. Write a short dialogue in which you:

- introduce yourselves, say where you are from and what you do;
- discuss where you are going and make two comparisons between your destination and your seatmate's destination;
- make plans to meet again.

_____

_____

_____

_____

_____

_____

_____

_____

ENTREVISTA: ¿CÓMO ESTÁS?

In class we've practiced using the verb **estar** to describe conditions (**Estoy alegre, aburrido/a, furioso/a**). Now find out how one of your classmates feels in the following situations. Take turns asking and answering the following questions with a classmate, following the cues below. Use the adjectives on **p. 180** of *Puntos* in your answers.

1. Cuando tienes mucho trabajo, ¿cómo estás?

   Cuando tengo mucho trabajo, estoy _____.

2. Los lunes por la mañana, ¿cómo estás?

3. Antes de los exámenes, ¿cómo estás?

4. Cuando llueve, ¿cómo estás?

5. Los viernes por la noche, ¿cómo estás?

6. Después de la clase de español, ¿cómo estás?

7. Cuando estás con tu familia, ¿cómo estás?

8. Antes de una cita (*date*), ¿cómo estás?

9. Cuando no comprendes el español, ¿cómo estás?

10. Cuando sacas (*you get*) una «A» en tu examen de español, ¿cómo estás?

11. Cuando te acuestas tarde, ¿cómo estás al día siguiente?

KEY LANGUAGE FUNCTIONS: DESCRIPTION AND COMPARISON

At this point in the course, you should be able to describe and compare people and places. To do this accurately, you should know how to use **ser** and **estar**, know the rules for noun-adjective agreement, and know how to make comparisons of equality and inequality.

To construct a description → Vocabulary → Linguistic Tools Needed:
- **ser** vs. **estar**
- noun-adjective agreement

Take turns with a partner describing the following places. Include what you usually do in those places and how you feel when you are there. Don't forget your vocabulary from previous chapters and the linguistic tools listed above.

1. Your living room
2. Your favorite place to go on Saturday nights
3. Your favorite place to hang out on campus
4. Your favorite place to go in the summer

To construct a comparison → Vocabulary → Linguistic Tools Needed:
- **ser** vs. **estar**
- noun-adjective agreement
- **más/menos... que** ($\neq$)
- **tan... como** ($=$)
- **tanto/as/os/as... como** ($=$)

Take turns with a partner making comparisons between the following people, places, and sentiments. Don't forget your vocabulary from previous chapters and the linguistic tools listed above.

1. Compare yourself and a relative.
2. Compare your apartment or dorm and your parents' house.
3. Compare your wardrobe and your roommate's wardrobe.
4. Compare how you feel during finals and how you feel during spring break.

GUIDED WRITING AND SPEAKING: EN LA RESIDENCIA

A. Using the drawing and your imagination, answer the following questions in complete Spanish sentences. Pay careful attention to the way the questions are phrased in order to use the correct structures in your answers.

1. What's the weather like in Mérida today?
2. Who is sitting to the left of Germán?
3. Why is Germán worried?
4. Why does Profesor Campos think that Dina is smarter than Riqui and Nicolás?
5. What does Nicolás feel like doing?
6. Which of the students has to leave for class in five minutes?
7. Why is Nicolás tired and when does he typically get up?
8. Who likes to get up early?
9. Who studies as much as Ana María?
10. Where is Professor Alonso from?

B. Now imagine you are one of the characters in the drawing. Write an entry in your journal, comparing life in the dorm to life at home, and your college friends to your high-school friends.

C. With a partner, role-play a dialogue between any two characters in the drawing.

CAPÍTULO
7

Communicative Goals for Chapter 7

By the end of the chapter, you should be able to:

- discuss what you eat and drink ❑
- describe your favorite restaurant ❑
- order and pay for food ❑
- talk about what and who you know ❑
- answer questions negatively ❑
- tell someone to do something ❑

Grammatical Structures

You should know:

- **saber** and **conocer** ❑
- personal **a** ❑
- direct object pronouns ❑
- **acabar de** ❑
- indefinite and negative words ❑
- formal commands ❑

PRONUNCIACIÓN: LAS VOCALES

Remember that in Spanish there are only five vowel sounds. Listen carefully as your instructor pronounces the following words, then repeat.

A: agua – el agua – el agua mineral – camarones – gambas – naranja – banana – una naranja y una banana – papas – patatas – Las papas son patatas y las patatas son papas. – la carne – hambre – pan – salsa – sal – una papa sin sal

E: té – café – leche – café con leche – refresco – cerveza – arvejas – queso – helado – galletas – beber – comer – Pepe bebe leche y come galletas. – tenedor – mesa – El tenedor está en la mesa. – cena

I: vino – tinto – vino tinto – líquido – El vino tinto es un líquido. – rico – muy rico – bistec – El bistec está rico. – frijoles – sirve – aquí – Aquí sirven frijoles con chile. – piña – almíbar – piña en almíbar – oliva – mariscos

O: pollo – arroz – el arroz con pollo – El arroz con pollo está bueno. – sopa – jamón – postre – torta – limón – De postre hay torta de limón. – salmón – no – No me gusta el salmón. – melón

U: lechuga – desayuno – nunca – ¡Nunca desayuno lechuga! – verduras – gustan – ¿Te gustan las verduras? – menú – atún – No hay atún en el menú. – fruta – jugo – El jugo se hace de fruta. – zumo – legumbres – chuleta – cuchara – cuchillo – Se usa un cuchillo para cortar la chuleta.

LISTENING COMPREHENSION:
UNA NOCHE EN EL RESTAURANTE MÁLAGA

Your instructor will read a passage to you based on the drawing. The first time you hear the passage, identify the people/groups of people your instructor is describing. The second time you hear the passage, listen for details and indicate if the sentences that follow are true or false.

Vocabulario útil

el cumpleaños birthday
la propina   tip

1. ☐ C ☐ F José and Beatriz will probably sit down next to the Gómez family.
2. ☐ C ☐ F Jean-Paul, when visiting the U.S., likes to eat in Arby's and Taco Bell.
3. ☐ C ☐ F The Gómez family is celebrating Mr. Gómez's birthday.
4. ☐ C ☐ F Mr. López eats in the Málaga very frequently.
5. ☐ C ☐ F Mr. Peñas is ordering for himself and his wife.
6. ☐ C ☐ F The cashier is smiling because she's in love with Mr. López.
7. ☐ C ☐ F José has good manners.
8. ☐ C ☐ F Mr. and Mrs. Peñas are returning to Argentina in two days.

HOSTERÍA DEL LAUREL
Plaza de los Venerables, 5
Teléfono 954 / 22 02 05
41004 - SEVILLA

¡BIENVENIDOS!

ENTRANTES

Ensalada Mixta	5 €
Ensalada Lechuga y Tomate	4 €
Ensalada Salsa Roquefort	7,50 €
Espárragos Tres Salsas	9,50 €
Entremeses Variados	10 €
Jamón Serrano	12,30 €
Aguacate Vinagrete	9 €
Champiñones al Ajillo	8,60 €
Melón con Jamón	9 €
Consomé Jerez	3,50 €
Sopa de Ajos	3 €
Sopa de Picadillo	3,50 €
Gazpacho Andaluz	4 €

HUEVOS / PASTAS / ARROCES

Tortilla Española	6,50 €
Tortilla de Jamón	7,70 €
Paella Mixta (Min. 2 P.), 1 ración	16 €
Spaguetti Napolitana	6 €
Huevos Flamenca	6,50 €
Pan	1 €
Mantequilla	1 €
Oliva	2 €

PESCADOS

Brocheta de Mero	19 €
Fritura Sevillana	18 €
Urta Roteña	16 €
Pez Espada	18 €

CARNES

Chuleta de Cerdo	11 €
Pollo Sevillana	10 €
Menudo a la Andaluza	10 €
Riñones Jerez	9,50 €
Chuleta de Cordero	12 €
Cordero Asado	16 €
Salteado Ternera	12 €
Tournedos Hostería	16 €
Entrecote Parrilla	19 €
Solomillo Casera	26 €

POSTRES

Limón Helado	3,50 €
Helados Variados	4 €
Postre Hostería	4,50 €
Torta al Whisky	4,50 €
Flan al Caramelo	4 €
Fruta del Tiempo	3,50 €
Piña en Almíbar	3,50 €
Café Irlandés	4,50 €

¿SABER O CONOCER? WORKSHEET

I. Would you use **saber** or **conocer** in each of these sentences? Why?

1. She never (☐ S   ☐ C) <u>knows</u> the answer.

2. Do you (☐ S   ☐ C) <u>know</u> where Raul is? —No, but I (☐ S   ☐ C) <u>know</u> he's coming back later.

3. I don't (☐ S   ☐ C) <u>know</u> that girl, but I (☐ S   ☐ C) <u>know</u> she's from Chile.

4. My friend doesn't (☐ S   ☐ C) <u>know</u> how to play the guitar.

5. Do you (☐ S   ☐ C) <u>know</u> Paris well? —No, I (☐ S   ☐ C) <u>know</u> Madrid much better.

6. My friend wants to (☐ S   ☐ C) <u>meet</u> my unmarried cousin.

7. I don't (☐ S   ☐ C) <u>know</u> why she wants a dog!

8. I (☐ S   ☐ C) <u>know</u> San Francisco pretty well, but I still don't (☐ S   ☐ C) <u>know</u> all the good restaurants.

9. Do you (☐ S   ☐ C) <u>know</u> what we have to do tonight?

10. Hey, I (☐ S   ☐ C) <u>know</u> that guy!

II. Complete the following sentences with the correct form of **saber** or **conocer**.

1. (Yo) _____ a Beatriz, pero no _____ de dónde es.

2. ¡Esos chicos _____ jugar al básquetbol muy bien!

3. ¿(Tú) _____ cuánto dinero necesito para el cine?

4. Diego cocina muy bien: (él) _____ preparar muchos platos venezolanos.

5. ¿Por qué no (Uds.) _____ la respuesta?

6. —¿(Tú) _____ algo? Mi amigo Rafael quiere salir contigo.

7. —¿¿Rafael?? ¿Quién es? Yo no _____ a ningún Rafael.

8. ¿(Tú) _____ a la familia de tu novio?

9. En el futuro, quiero _____ a una mujer guapa, inteligente, simpática y rica... ¡pero (yo) _____ que eso va a ser difícil!

10. Marcos, ¿(tú) _____ si hay un examen mañana?

11. Pablo no _____ jugar al tenis pero sí _____ esquiar muy bien.

12. No (yo) _____ qué voy a hacer esta noche.

13. Ellos no _____ Centroamérica, pero _____ mucho de la política de esa región.

14. Queremos comer algo, pero no _____ dónde está el mercado.

PRÁCTICA: ¿SABER O CONOCER?

Alfredo and Raquel are looking for a place to eat. Complete their conversation with the correct form of **saber** or **conocer**, according to the context.

Raquel: Oye, Alfredo. Tengo hambre. ¿Comemos?

Alfredo: Sí, de acuerdo. ¿Por qué no comemos en este restaurante aquí? Es excelente.

Raquel: Bien, pero ... ¿cómo (1. tú) _____ que este restaurante es tan bueno?
           Yo no (2.) _____ bien este barrio, y nunca vengo a comer por aquí.

Alfredo: Pues, yo lo (3.) _____ muy bien. Como aquí casi todas las semanas.

Raquel: ¿De veras? (*Really?*)

Alfredo: Sí. Creo que (4. tú) _____ que mi tía Elenita tiene un restaurante,
           ¿no? Pues, es este restaurante aquí.

Raquel: ¡No me digas! (*You're kidding!*)

Alfredo: Sí, y vas a ver. Elenita (5.) _____ cocinar de maravilla. Te va a gustar
           mucho.

Raquel: Ya lo creo. Me gustaría (6.) _____ a tu tía. (*Entran al restaurante.*)

(*Unos minutos más tarde.*)

Raquel: ¿Y (7. tú) _____ a nuestro camarero también?

Alfredo: No, no lo (8.) _____. Debe ser nuevo. ¿Ya
           (9.) _____ qué vas a pedir?

Raquel: No, todavía no lo (10.) _____. ¿Qué me recomiendas?

Alfredo: Pues, como (11. yo) _____ que te gustan mucho las sopas, te
           recomiendo la sopa de pollo. Es la especialidad de la casa, y es deliciosa.

Raquel: De acuerdo. Y después de pedir, vamos a la cocina. Quiero
           (12.) _____ a Elenita.

DIRECT OBJECT PRONOUNS WORKSHEET

Answer the following questions by substituting the correct direct object pronoun in your answer. Where appropriate, use the correct indefinite or negative words.

me	te	lo	la	nos	os	los	las

Modelo: ¿Pierdes <u>tus llaves</u> con frecuencia? → No, no las pierdo nunca.

<u>La clase</u>

1. ¿Conoces bien <u>a todos los estudiantes</u> de la clase de español? _____

2. ¿Hacen Uds. <u>los ejercicios</u> en el libro de texto cada día? _____

3. ¿Cuándo haces <u>la tarea</u> para tu clase de español? _____

4. ¿Vas a ver <u>al profesor</u> de español en la oficina hoy? _____

5. ¿Cuándo vas a aprender <u>la gramática</u> nueva? _____

6. ¿Empiezas a entender <u>los objetos directos</u>? _____

7. ¿Siempre ayudas <u>a los compañeros</u> de clase? _____

8. ¿Traes <u>tu diccionario</u> a clase siempre? _____

<u>La comida</u>

9. Cuando comes en restaurantes elegantes ¿siempre pagas <u>la cuenta</u>? _____

10. A veces, ¿comes <u>el postre</u> antes del plato principal? _____

11. ¿Tomas <u>el café</u> con azúcar o sin azúcar? _____

12. ¿Te gusta preparar <u>la cena</u>? _____

13. ¿Traes <u>el almuerzo</u> a la universidad? _____

<u>En casa</u>

14. ¿Siempre lavas <u>los platos</u> después de comer? _____

15. ¿Haces <u>la cama</u> todos los días? _____

16. ¿En qué cuarto prefieres poner <u>el teléfono</u>? _____

17. ¿Miras <u>las noticias</u> en la televisión por la noche? _____

18. ¿Puedes escuchar <u>la radio</u> y estudiar al mismo tiempo? _____

PRÁCTICA: ¿QUÉ ACABAN DE HACER? ¿QUÉ VAN A HACER?

Explain what the people in the drawings have just done and what they are going to do now.

	¿Qué acaba(n) de hacer?	Ahora, ¿qué va(n) a hacer?

Paco

_____   _____

_____   _____

Lupe y Jaime

_____   _____

_____   _____

Ernesto

_____   _____

_____   _____

Ana, Raúl y Rafa

_____   _____

_____   _____

PRÁCTICA: INDEFINITE AND NEGATIVE WORDS

Ana and Estela are roommates, but are complete opposites. Explain how they differ from each other using the drawing below and rewriting the sentences to describe the other roommate.

Modelo: Ana siempre vuelve tarde a la residencia.   Estela nunca vuelve tarde
                                                             (Estela no vuelve tarde nunca.)
                                                             (Estela jamás vuelve tarde.)

Ana	**Estela**
Hay algo debajo de la cama de Ana.	1. _____
También hay una pizza en su cama.	2. _____
3. _____	Estela jamás lleva ropa vieja y sucia.
Ana tiene algunos problemas con organizarse.	4. _____
5. _____	Algunos creen que Estela es una compulsiva.
Ana conoce a muchas personas interesantes.	6. _____
A veces, alguien llama a Ana por teléfono a la una de la mañana.	7. _____
8. _____	Estela siempre se levanta temprano.
9. _____	Se acuesta temprano también.
10. _____	Nunca llega tarde a clase.

PRÁCTICA: MANDATOS FORMALES

¡El pobre Sr. Camacho tiene muchos problemas! Below is a list of some of Mr. Camacho's problems/desires. Tell him how you think he should solve his problems by giving him formal commands. Try to give both negative and affirmative commands where possible, and to suggest two solutions to each problem.

-ar → e(n)	tomar → tome
-er/ir → a(n)	beber → beba

Modelo: Estoy cansado.
Soluciones: Tome una siesta. No trabaje ahora. ¡Descanse más!

1. Tengo hambre pero estoy a dieta.

   _____

2. Estoy aburrido.

   _____

3. Estoy enfermo.

   _____

4. No me gusta mi trabajo (*job*).

   _____

5. Tengo miedo de los perros.

   _____

6. Me gustaría (*would like*) ser rico.

   _____

7. Tengo dolor de cabeza (*headache*).

   _____

8. Mi coche no funciona.

   _____

9. Gano (*I earn*) muy poco dinero.

   _____

10. Necesito perder 10 libras (*pounds*).

   _____

PRÁCTICA: MANDATOS

Complete the charts as in the example. Substitute the correct pronouns for the underlined words. Put the affirmative commands in the first column and the negative commands in the second column.

comer el helado

Ud.	¡Cómalo!	¡No lo coma!
Uds.	¡Cómanlo!	¡No lo coman!

dar la fiesta

Ud.		
Uds.		

traer el agua

Ud.		
Uds.		

poner la mesa

Ud.		
Uds.		

preparar los tacos

Ud.		
Uds.		

hacer el postre

Ud.		
Uds.		

pedir la paella

Ud.		
Uds.		

llegar temprano

Ud.		
Uds.		

	ayudar <u>a mamá</u>	
Ud.		
Uds.		

	comprar <u>la comida</u>	
Ud.		
Uds.		

	invitar <u>al profesor</u>	
Ud.		
Uds.		

	usar <u>la tarjeta de crédito</u>	
Ud.		
Uds.		

	buscar <u>los garbanzos</u>	
Ud.		
Uds.		

	servir <u>las verduras</u>	
Ud.		
Uds.		

	ir al café	
Ud.		
Uds.		

	pagar <u>la cuenta</u>	
Ud.		
Uds.		

TRADUCCIONES: MANDATOS FORMALES

A. <u>Singular</u> (**Ud.**)

1. Read the menu. _____ Read it. _____

2. Call the professor. _____ Call him. _____

3. Don't serve that wine. _____ Don't serve it. _____

4. Don't write the letter. _____ Don't write it. _____

5. Make dinner now. _____ Make it now. _____

6. Don't open the door. _____ Don't open it. _____

7. Close the door. _____ Close it. _____

8. Bring the sandwiches. _____ Bring them. _____

9. Order the shrimp. _____ Order them. _____

10. Ask for the bill. _____ Ask for it. _____

11. Bring the ice cream. _____ Bring it. _____

B. <u>Plural</u> (**Uds.**)

1. Wait for Roberto. _____ Wait for him. _____

2. Don't buy those cookies. _____ Don't buy them. _____

3. Study Chapter 6. _____ Study it. _____

4. Invite Sofía and Sara. _____ Invite them. _____

5. Make the dessert. _____ Make it. _____

6. Don't eat that tortilla. _____ Don't eat it. _____

REPASO: CAPÍTULO 7

I. Vocabulario

1. ¿Cuáles son tres cosas que nunca comes?

_____, _____, _____

2. ¿Cuál es tu comida favorita? _____

3. ¿Qué te gusta comer por la mañana? ¿Y por la noche? _____

II. Gramática

A. Indefinite and Negative Words. Change to the opposite.

1. Siempre estudio en la biblioteca porque me gusta mucho.

_____

2. Algunos compañeros estudian allí también.

_____

3. Nunca comemos en la biblioteca.

_____

4. Nos gusta comer algo después de estudiar.

_____

5. Tengo unos exámenes esta semana, y mis amigos también.

_____

B. Saber or conocer. Fill in the correct form of the missing verb. If the "personal **a**" is required, include it in your answer.

1. ¿(Tú)_____ bailar el tango?
2. Yo _____ Jorge, pero no _____ dónde vive.
3. Ellas no _____ mi primo.
4. Necesitan _____ a qué hora vas a venir.
5. Acabo de _____ la madre de mi novio.
6. Quiero ir a Guatemala porque no _____ ese país.

Expresa en español.

1. I know the answer. _____
2. We'll meet Juan tomorrow. _____
3. Do you know Caracas? _____
4. I don't know when the final is. _____
5. He knows a lot of interesting people. _____

C. <u>Direct Object Pronouns</u>. Answer the questions using direct object pronouns.

1. ¿Cuándo ves tus programas de televisión favoritos?

_____

2. ¿Con quién practicas el español?

_____

3. ¿Cuándo vas a ver a tus amigos?

_____

4. ¿Cuándo quieres conocer a mis amigos?

_____

D. <u>Los mandatos</u>. Give one affirmative and one negative command to the people in El Mesón Fuentes tonight. Use the infinitive phrases given to form your commands.

1. **Ernestito y**   • comer toda la comida   _____
   su hermana   • no jugar en el restaurante   _____
2. **el dueño**   • tener paciencia con los clientes   _____
      • no hacer tantas reservaciones   _____
3. **Miguel**   • pagar la cuenta   _____
      • no salir con Carmen otra vez   _____
4. **Lucía**   • ir en taxi   _____
      • no llegar tarde   _____
5. **el camarero**   • traer más vino   _____
      • no ser perezoso   _____

III. ¿Qué dices? What would you say in the following situations?

1. The waiter forgets to bring you the menu.

   _____

2. You want some more water.

   _____

3. Your soup is cold.

   _____

4. You want to order another dish.

   _____

5. You need the bill.

   _____

IV. Diálogo

Write an eight-line dialogue between any two people depicted in the drawing below. The dialogue should include a description of what one of the people just ate, what they are going to do after leaving the cafeteria, and two commands.

   _____
   _____
   _____
   _____
   _____
   _____
   _____
   _____

ENTREVISTA: ¿QUÉ TE GUSTA COMER?

First, complete the chart with your opinions of the following items using the scale below. Then find out a classmate's likes and dislikes and answer his/her questions about your own opinions. Remember to phrase your questions with the expression **¿Te gusta...?**

Escala de valores: **1** = ¡Sí, me gusta muchísimo!
2 = Sí, me gusta bastante.
3 = ¡No, no me gusta para nada!

Yo		Mi compañero/a
	el pescado	
	la comida picante	
	la barbacoa	
	cenar en restaurantes elegantes	
	preparar comida en casa	
	la pizza con anchoas (*anchovies*)	
	la comida vegetariana	
	el café	
	el pastel de chocolate	
	la comida china	

BINGO: LA COMIDA

____ almuerza en casa a veces.	____ sabe cocinar muy bien.	A ____ no le gusta el pescado.	____ toma muchísimo café.	A ____ no le gusta la comida mexicana.
____ es vegetariano/a.	____ está a dieta.	____ toma vitaminas todos los días.	El restaurante favorito de ____ es «McDonalds».	____ come postre todos los días.
A ____ le gusta beber Red Bull.	____ no desayuna nunca.	La comida favorita de ____ es la pizza.	____ come algo antes de acostarse.	____ trabaja como camarero/a.
____ no toma cerveza.	____ es alérgico/a al chocolate.	____ come en la biblioteca a veces.	____ no cocina nunca.	____ cena mientras (while) ve la televisión.
____ va a cenar fuera (dine out) esta noche.	____ come en una cafetería universitaria.	____ siempre tiene hambre en la clase de español.	____ no lava los platos después de comer.	____ nunca tiene tiempo de almorzar

GUIDED WRITING AND SPEAKING: EN LA CAFETERÍA

A. Study the drawing and then work with a partner to form six questions about the students in the cafeteria. Use different question words for each student. Use your imagination and the vocabulary from this chapter and previous chapters.

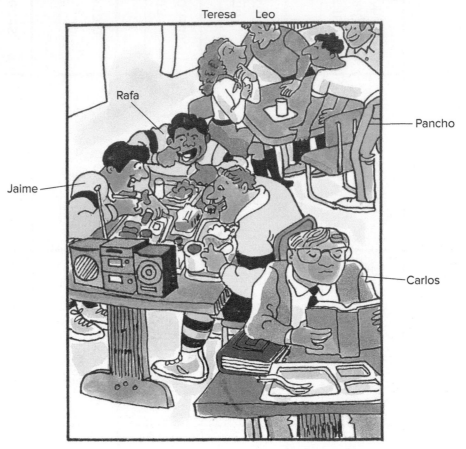

1. _____

2. _____

3. _____

4. _____

5. _____

6. _____

B. Imagine you are a new student from Panamá. Write an e-mail to your family about what kind of food you eat at the university cafeteria and what you never eat there. Then talk about some of your new classmates. Tell them who you want to know better and why.

C. With a partner, role-play a dialogue between any two characters in the drawing.

COMMUNICATIVE GOALS PRACTICE #4

Try to talk about this restaurant scene for sixty seconds. "Show off" all you have learned up to this point in the semester. Check the **Communicative Goals** boxes at the beginning of each chapter of your Supplement to see all that you should be able to do. For this fourth oral proficiency practice, the following topics are suggested. Try to use connectors (**porque, pero, y, también, por eso**) to make your description sound more fluent and natural.

1. Time	4. Food likes and dislikes
2. Description (age, personality, physical appearance, clothing)	5. Actions taking place right now
3. Family relationships	6. Future plans
	7. Comparisons

After you've finished your description, imagine you are talking to the characters in the drawing. Ask at least two questions of one or more characters.

CAPÍTULO 8

Communicative Goals for Chapter 8

By the end of the chapter, you should be able to:

- talk about trips and traveling ❑
- express to whom and for whom you do ❑
  something ❑
- talk about likes and dislikes more fully ❑
- talk about things that happened in the past ❑

Grammatical Structures

You should know:

- indirect object pronouns ❑
- **dar** and **decir** ❑
- **gustar** ❑
- preterite forms ❑
- uses of the preterite ❑

PRONUNCIACIÓN: LOS SONIDOS *G, GU* Y *J*

Listen and repeat as your instructor pronounces the following sentences. Then practice with a partner.

1. No hay ningún asiento en el autobús que va al aeropuerto.

2. En el Hotel Majestad el maletero nos ayuda con un montón de maletas.

3. El piloto le pregunta al pasajero puertorriqueño si va a Pamplona o Pontevedra.

4. Recibimos tarjetas postales de Jalapa, Oaxaca, Guanajuato e Isla Mujeres.

5. Guárdame un asiento en el siguiente vuelo a Uruguay. Es urgente.

Listen as your instructor says these Spanish idiomatic expressions, then **repeat**. Match the Spanish expression with its English equivalent.

_____ 1. Ni decir jota.

_____ 2. Echar un jarro de agua fría.

_____ 3. De ninguna manera.

_____ 4. ¡Qué aguafiestas!

_____ 5. Me da igual.

_____ 6. No saber ni jota.

_____ 7. Se me hizo un nudo en la garganta.

_____ 8. Muy lejos, en el quinto pino.

a. *What a party-pooper!*

b. *No way.*

c. *To know absolutely nothing.*

d. *Not to say a word.*

e. *Miles from anywhere.*

f. *I got a lump in my throat.*

g. *To put a damper on it.*

h. *It's all the same to me.*

LISTENING COMPREHENSION: JAIME Y MARTA HACEN UN VIAJE

A. You will hear a short conversation between Jaime and Marta, who are getting ready for a trip. As you listen, indicate what they have already done to get ready and what they still need to do in the chart below. Place an X in the correct column, based on what you hear. Look over the list of actions before you begin.

Acción	Ya lo hicieron	Todavía necesitan hacerlo
buscar las maletas		
comprar los boletos		
ir al banco		
hacer las maletas		
llamar a la línea aérea y confirmar el vuelo		
hacer las reservaciones		
encontrar los pasaportes		
hacer una lista		
comprar pilas (*batteries*) para la cámara		
hablar con la agente de viajes		

B. Now listen as your instructor reads sentences about what Jaime and Marta like and don't like when they travel. Circle the item referred to in each statement.

1. las revistas turísticas   El Hotel Four Seasons

2. viajar en tren   los viajes en autobús

3. las hamburguesas de McDonald's   comer en restaurantes típicos

4. los museos de arte   visitar los monumentos

5. las montañas   la playa

PRÁCTICA: INDIRECT OBJECT PRONOUNS

I. Fill in the blanks with the correct indirect object pronoun, according to the context or the cues in parentheses.

me = to/for me	**nos** = to/for us
te = to/for you	**os** = to/for you (*familiar, plural*)
le = to/for you (*formal*), him, her, it	**les** = to/for you (*formal, plural*), them

En un restaurante:

1. _____ sirven el almuerzo a la una. (a nosotros)
2. _____ compro refrescos a todos mis amigos.
3. ¿Cuándo _____ va a traer el menú? (a nosotros)
4. _____ puedo recomendar el arroz con pollo y el flan. (a ti)
5. ¿ _____ pasas el pan, por favor? (a mí)

De viaje:

6. La azafata _____ pide los boletos a los pasajeros.
7. Mientras hace cola, Tomás _____ guarda un puesto a María.
8. Siempre _____ mando tarjetas postales a mis amigos.
9. El agente de viaje _____ explica el precio de los boletos. (a nosotros)
10. Tengo que comprar _____ unos recuerdos (*souvenirs*) a mis padres.
11. No _____ sirven nada de comer en ese vuelo. (a ti)

II. Complete each sentence with the missing indirect object pronoun and a logical verb.
Verbos útiles: comprar / dar / decir / explicar / hacer / mandar / pagar / pedir / prestar / traer

Modelo: La profesora <u>les explica</u> la gramática a los estudiantes.

1. Este semestre, mis profesores _____ _____ muchísima tarea.
2. Yo _____ _____ invitaciones a mi fiesta a todos mis amigos.
3. Mis amigos _____ _____ muchos regalos bonitos para mi cumpleaños.
4. Los clientes _____ _____ el menú al camarero, y él _____ _____ la cuenta.
5. Los estudiantes _____ _____ muchas preguntas a la profesora.
6. Los pacientes _____ _____ consejos a los sicólogos.
7. Los padres _____ _____ dinero a sus hijos en la universidad.
8. Los estudiantes _____ _____:«Buenos días» al profesor.
9. A veces, mi compañero de cuarto _____ _____ su coche.

DIRECT VS. INDIRECT OBJECT PRONOUNS

Fill in the blank with the correct indirect or direct object pronoun.

Direct Object Pronouns		Indirect Object Pronouns	
me	nos	me	nos
te	os	te	os
lo, la	los, las	le	les

Las fiestas y los regalos:

1. Mañana es el cumpleaños de Ana. Beatriz y yo _____ compramos unos discos.
2. Raúl es el amigo de Laura. Él _____ llama para invitar_____ a la fiesta.
3. A José _____ gusta mucho leer. Yo pienso regalar_____ unos libros.
4. Hoy es el aniversario de mis padres. Mi hermano y yo vamos a preparar_____ una cena especial.
5. Mis amigos _____ dicen que van a comprar_____ algo para mi cumpleaños.

De viaje:

6. En el aeropuerto Roberto hace cola y _____ guarda un puesto a Sara.
7. ¿Cuál es el número de nuestro vuelo? No _____ puedo ver.
8. A nosotros no _____ gusta Tijuana, pero a Alberto _____ gusta mucho.
9. Juana _____ dice (a mí) que _____ va a traer un regalo de su viaje.
10. ¿Dónde están Paco y Rosa? No _____ veo por aquí. —Están en la playa.

Las citas:

11. Jaime sale con Inés. Él _____ ve todos los fines de semana.
12. Felipe quiere llamar a Mercedes para invitar _____ al cine.
13. Quiero a Pilar. _____ quiero porque es muy simpática.
14. Mi hermano _____ pide dinero (a mí), pero yo no _____ puedo prestar nada.
15. —¿Van a ver la nueva película de Almodóvar? —Sí, _____ vamos a ver hoy.
16. —¿Sabes el nombre de aquel chico al lado del bar? —No, no _____ sé.
17. —¿Conoces a esa mujer que baila con Pepe? —Sí, _____ conozco muy bien.

PREGUNTAS PERSONALES

Answer the following questions using direct or indirect object pronouns.

En la universidad:

1. ¿Les escribes muchos e-mails a tus padres? _____

2. ¿Tus padres te llaman todas las semanas? _____

3. ¿Puedes guardarme un asiento en la clase? _____

4. ¿Conoces al rector de la universidad? _____

5. ¿Saben Uds. cuál es la capital de Costa Rica? _____

6. ¿A qué hora haces la tarea? _____

7. ¿Siempre entiendes la gramática? _____

8. ¿Me puedes explicar el Capítulo 8? _____

9. ¿Dónde compras tus libros de texto? _____

10. ¿Pagas tus libros con cheque o con tarjeta de crédito? _____

11. ¿Ves al profesor / a la profesora cinco días a la semana? _____

El tiempo libre:

12. ¿Qué le gusta hacer a tu mejor amigo/a? _____

13. ¿Les prestas dinero a tus amigos? _____

14. ¿Les das tu número de teléfono a los compañeros de clase? _____

15. ¿Cuándo ves a tus amigos? _____

16. ¿Quieres ver la nueva película de Woody Allen? _____

17. ¿Llamas a tus amigos por teléfono todas las noches? _____

18. ¿Tus amigos te invitan a comer con frecuencia? _____

19. ¿Preparas el desayuno todos los días? _____

20. ¿Nos invitas a tu fiesta de cumpleaños? _____

21. ¿Me recomiendas las películas de Harry Potter? _____

22. ¿Siempre le dices toda la verdad a tu mejor amigo/a? _____

PRÁCTICA: *GUSTAR*

A. *Gustar* **y los objetos indirectos.** Complete the sentences with the correct indirect object pronoun, and then circle the correct form of **gustar, encantar,** or **interesar.**

1. ¿A ti _____ gusta/gustan las vacaciones de primavera?

2. A mí _____ interesa/interesan los museos arqueológicos de México.

3. A Pedro y a Marta _____ encanta/encantan viajar por América Central.

4. A mi tía Paula _____ interesa/interesan las artesanías de la gente indígena.

5. A nosotros no _____ gusta/gustan los hoteles baratos.

6. A mis padres no _____ gusta/gustan la Playa del Carmen.

7. Pero a mí _____ encanta/encantan todas las playas de México.

8. ¿A Uds. _____ gusta/gustan tomar el sol y hacer esquí acuático en Acapulco?

9. A mis amigos _____ interesa/interesan una excursión con visitas culturales.

10. A los turistas _____ gusta/gustan las comidas que sirven en la playa.

B. **Los gustos de los ricos y famosos.** Create six sentences about the likes and interests of the celebrities below. At least one of your sentences should be negative.

Katy Perry Tom Brady Anderson Cooper Ricky Martin y Shakira Barack Obama Angelina Jolie y Brad Pitt	+ (no) +	gustar interesar encantar

1. _____

2. _____

3. _____

4. _____

5. _____

6. _____

EL PRETÉRITO

REGULAR VERBS

-AR	-ER	-IR
-é	-í	-í
-aste	-iste	-iste
-ó	-ió	-ió
-amos	-imos	-imos
-asteis	-isteis	-isteis
-aron	-ieron	-ieron

IRREGULAR VERBS

DAR	HACER	IR / SER
di	hice	fui
diste	hiciste	fuiste
dio	hizo	fue
dimos	hicimos	fuimos
disteis	hicisteis	fuisteis
dieron	hicieron	fueron

I. Change the following sentences to the preterite.

1. Fabio viaja mucho.   El año pasado _____.

2. Hago las reservaciones.   Ayer _____.

3. No escribes muchas cartas.   La semana pasada _____.

4. Comemos bien en el Mesón.   Anoche _____.

5. Juan llega hoy de Costa Rica. _____ ayer.

6. Hacen las maletas.   Anoche _____.

7. Toman el tren a la costa.   El año pasado _____.

8. Soy agente de viajes.   El año pasado _____.

9. Uds. trabajan mucho.   Anoche _____.

10. La agencia abre temprano.   Ayer _____.

11. Ofrecemos precios bajos.   El año pasado _____.

12. Volvemos a las once.   Anoche _____.

II. Preguntas personales.

1. ¿Viajaste mucho el año pasado?

   _____

2. ¿Te dieron dinero tus padres para las vacaciones de primavera?

   _____

3. ¿Adónde fueron tus compañeros de cuarto para la Navidad?

   _____

4. ¿Cuánto dinero pagaste la última vez que hiciste un viaje por avión?

   _____

5. ¿Visitaste las playas de Baja California el verano pasado?

   _____

PRÁCTICA: SPELLING CHANGES IN THE PRETERITE

Verbs that end in **-car, -gar,** and **-zar** show a spelling change in the first person only.

-car		-gar		-zar	
buscar	busqué	pagar	pagué	comenzar	comencé
	buscaste		pagaste		comenzaste
	buscó		pagó		comenzó
tocar	toqué	llegar	llegué	almorzar	almorcé
	tocaste		llegaste		almorzaste
	tocó		llegó		almorzó

-AR and **-ER** stem-changing verbs show no stem change in the preterite.

Yo vuelvo.	→	Yo volví.	Yo pienso.	→	Yo pensé.
Ellos juegan.	→	Ellos jugaron.	Tú almuerzas.	→	Tú almorzaste.
Ellos comienzan.	→	Ellos comenzaron.			

Also, an unstressed **i** between vowels becomes **y**.

leer → leí, leíste, leyó, leímos, leísteis, leyeron

creer → creí, creíste, creyó, creímos, creísteis, creyeron

Change the following sentences to the preterite.

1. Saco muchas fotos.   El año pasado _____
2. Él busca el mercado.   Ayer _____
3. Leemos un libro sobre México.   La semana pasada _____
4. Juego al voleibol en la playa.   Anoche _____
5. Llego a Madrid mañana.   _____ anteayer.
6. María lee la tarjeta postal.   Ayer _____
7. Almuerzo en el café de la plaza.   El lunes _____
8. Pago los boletos con cheque.   El año pasado _____
9. Comienzan su viaje mañana.   _____ la semana pasada.
10. ¿Cuándo vuelves del viaje?   ¿ _____, ayer o anteayer?
11. Se despiertan tarde y pierden el vuelo. Ayer _____
12. Empiezo a hacer la maleta ahora.   Anoche _____

EL PRETÉRITO: UN ASESINATO (*murder*)

There's been a murder in the elevator of the apartment building at Calle de las Calzadas, 29, and the police are taking reports from several people who were at the scene of the crime. Is one of these people lying? Complete each person's statement with the correct Spanish forms of the verbs in parentheses.

Catalina Alarcón de Sastre, abuela, 72 años

(1. *I left* - salir) _____ de mi casa a las ocho y cuarto, y (2. *I went* - ir)

_____ al mercado para hacer las compras. Allí (3. *I bought* - comprar)

_____ fruta, carne y pan. También (4. *I spoke* - hablar) _____ un rato

(*for a while*) con doña Luisa. Después... ¿qué (5. *did I do* - hacer) _____ después?

Ah, sí... (6. *I passed* - pasar) _____ por la farmacia por unas aspirinas. (7. *I returned* -

regresar) _____ a casa a las nueve. Cuando (8. *I entered* - entrar)

_____ al ascensor (*elevator*), (9. *I saw* - ver) _____ al hombre

muerto (*dead*), y (10. *I screamed* - gritar) _____ «¡Socorro! ¡Socorro! (*Help!*)» Cuando

(11. *arrived* - llegar) _____ el porter (*doorman*), don Ramón, yo (12. *fainted* - desmayarse)

_____ y él (13. *called* - llamar) _____ a la policía. ¡Qué susto (*scare*),

por Dios!

Jaime Durante, 20 años

Bueno, (1. *I woke up* - despertarse) _____ tarde, a las nueve menos

cuarto. (2. *I bathed* - bañarse) _____ y (3. *I got dressed* - vestirse) _____

rapidísimo. (4. *I drank* - tomar) _____ un café negro y después (5. *I left* - salir)

_____ corriendo (*running*) para la universidad. Cuando (6. *I tried* - intentar)

_____ entrar al ascensor, oí (7. *I heard* - oír) _____ la voz (*voice*) de doña

Catalina, gritando (*screaming*). (8. *I thought* - pensar) _____ que necesitaba ayuda,

y por eso (9. *I returned* - volver) _____ a mi apartamento y (10. *I called* - llamar)

_____ al hospital. La ambulancia (11. *arrived* - llegar) _____

en diez minutos. (12. *It was* - ser) _____ entonces (*then*) cuando don Ramón me

(13. *explained* - explicar) _____ qué pasó. ¡Qué horrible! Y para colmo (*to top if off*),

(14. *I missed* - perder) _____ mi clase.

<u>Ramón Torrijo, portero, 57 años</u>

De verdad no sé nada. (1. *I went out* - salir) _____ a la calle a las ocho y media, y (2. *I sat down* - sentarse) _____ en la silla que está afuera para descansar un poco. (3. *I smoked* - fumar) _____ un cigarrillo y (4. *I read* - leer) _____ el periódico. A las nueve menos cinco, (5. *rang* - sonar) _____ el teléfono, y (6. *I had* - tener) _____ que contestarlo. Pero (7. *happened* - pasar) _____ algo raro: cuando lo (8. *I answered* – contestar) _____ no había (*there wasn't*) nadie. (9. *I asked* - Preguntar) _____ «¿Quién es? ¿Quién habla?» (10. *I listened* - escuchar) _____ and (11. *I waited* - esperar) _____ unos segundos, pero nada. (12. *It was* - ser) _____ entonces cuando (13. *returned* - regresar) _____ doña Catalina. Ella (14. *entered* - entrar) _____ al ascensor y casi inmediatamente (15. *began* - empezar) _____ a gritar. ¡Qué día! ¡Vaya por Dios!

REPASO: CAPÍTULO 8

I. Vocabulario

A. Categorías.

1. Tres cosas que haces en el aeropuerto:

_____

2. Tres cosas que necesitas hacer antes de hacer un viaje:

_____

3. Tres formas de viajar:

_____

4. Tres personas que te ayudan cuando haces un viaje:

_____

B. Preguntas personales. Conteste en una o dos oraciones completas.

1. ¿Qué te gusta hacer cuando estás de vacaciones?

_____

2. ¿Cómo te gusta viajar? ¿Por qué?

_____

3. ¿Adónde te gustaría viajar? ¿Por qué?

_____

4. ¿Qué piensas hacer durante las próximas vacaciones?

_____

5. ¿Adónde fuiste el verano pasado?

_____

II. Gramática

A. Pronouns. Complete with the correct direct or indirect object pronoun. Read the sentences carefully to decide which pronoun is needed.

1. Mañana es el cumpleaños de Ana. _____ voy a comprar unas flores.

2. _____ voy a escribir un e-mail a mis padres después de hacer mi tarea.

3. ¿La composición? Lo siento, pero no _____ tengo conmigo.

4. Mi hermano _____ pide dinero (a mí), pero yo no _____ puedo prestar nada.

5. Los estudiantes _____ van a regalar una maleta a la profesora.

6. ¿Dónde están Paco y Rosa? No _____ vo por aquí.

7. ¿Las maletas? Tenemos que hacer _____ ahora mismo.

B. Gustar. Fill in the blanks with the correct pronoun and the correct form of gustar.

Modelo: No _____ _____   comer carne (a mí).
         No   me   gusta   comer carne.

1. Profesor(a), no _____ _____ la gramática. (a nosotros)

2. ¡ _____ _____ muchísimo las vacaciones! (a mí)

3. A mis padres _____ _____ mucho la música **clásica**, pero a mi

   hermano no _____ _____ para nada (*at all*).

4. No _____ _____ viajar en avión. Tengo miedo.

5. ¿ _____ _____ la clase de español? (a ti)

C. Expresa en español.

1. I don't like waiting in line at all.

   _____

2. We would like to travel in first class.

   _____

3. Many people don't like long flights.

   _____

4. I wouldn't like to be a flight attendant.

   _____

D. El pretérito. Write a short paragraph about last weekend. Include details about where you went and what you did with your friends, using the verbs below.

Modelo: El sábado, me levanté tarde...

Verbos útiles:
levantarse   comer   salir   comprar   ir   hablar   jugar   ver   volver   acostarse

_____

_____

_____

_____

_____

_____

_____

III. Diálogo

Imagine that you are planning a trip to Mexico for spring break. Write a dialogue between you and a travel agent in which you:

- greet the agent and explain that you need two round-trip tickets for Mexico City;
- ask about hotel reservations in Mexico City and Cancún;
- ask how much it costs to fly to Cancún from Mexico City;
- confirm the times and dates you will be traveling;
- pay for your tickets.

_____

_____

_____

_____

_____

_____

_____

_____

_____

_____

KEY LANGUAGE FUNCTIONS: DESCRIPTION, COMPARISON, EXPRESSING LIKES AND DISLIKES AND NARRATION IN THE PAST

At this point in the course, you should be able to describe, compare, discuss likes and dislikes, and narrate past events.

DESCRIBIR **D**	To construct a description	→ Vocabulary →	Linguistic Tools Needed: • **ser** vs. **estar** • noun-adjective agreement
COMPARAR **C**	To construct a comparison	→ Vocabulary →	Linguistic Tools Needed: • noun-adjective agreement • **más/menos... que** • **tan... como** • **tanto/as/os/as... como**
GUSTOS **G**	To construct a statement expressing likes and dislikes	→ Vocabulary →	Linguistic Tools Needed: • **Gustar**-type constructions • Indirect object pronouns
PASADO **P**	To construct a narration of a series of past events	→ Vocabulary →	Linguistic Tools Needed: • Preterite verb forms

Take turns with a partner talking about the following topics. Remember to pay attention to the linguistic tools (the grammar rules) you need to speak or write accurately.

- Describe a five-star hotel. Include the kinds of services they offer and how people feel when they go there.
- Describe a romantic restaurant. Include what they serve and how people feel when they go there.

- Compare two restaurants that you frequent.
- Compare how you feel after a great weekend with the way you feel after summer vacation.

- Tell what you like and what bothers you about vacationing with your parents.
- Tell what you think your instructor likes to do on vacation and what things interest him/her.

- Tell what you did yesterday from the time you got up until the time you went to bed.
- Tell where you went on your last vacation; include five things you did while you were there.

GUIDED WRITING AND SPEAKING:
EN EL AEROPUERTO DE SAN JOSÉ

A. Study the drawing and then work with a partner to form six questions about the scene in the airport. Use a different question word in each question, and find a new partner to answer your questions. Use your imagination and the vocabulary from Chapter 8 and previous chapters.

1. _____

2. _____

3. _____

4. _____

5. _____

6. _____

B. Imagine you are Pepe or Julia. Write an e-mail to a friend in which you explain everything you did and everything that happened before your flight.

C. With a partner, role-play a dialogue between any two characters in the drawing.

BINGO: LOS GUSTOS

_____ tomar el sol	_____ los hoteles baratos	_____ viajar en tren	_____ hacer *camping*	_____ los aviones
_____ sacar fotos	_____ los viajes por Latinoamérica	_____ los museos	_____ viajar con sus padres	_____ las tarjetas postales
_____ las comidas exóticas	_____ la playa	_____ las montañas	_____ las ciudades grandes	_____ el mar
_____ las maletas de Gucci	_____ los vuelos con escalas	_____ ir en primera clase	_____ las vacaciones de verano	_____ los viajes en coche
_____ viajar solo/a	_____ los viajes en barco	_____ los idiomas extranjeros	_____ hacer la maleta	_____ las islas tropicales

ENTREVISTA: BUSCA A ALGUIEN QUE...

Find classmates who did the following things. Use the model as an example and form your questions using the list below. When you find someone who answers **sí** to your question, have him/her sign in the correct blank. Be prepared to report your answers to the class.

Modelo: Find someone who took a history class last year.
                       Tú: ¿Tomaste una clase de historia el año pasado?
          Tu compañero/a: ¡Sí!
                       Tú: ¡Firma aquí, por favor!

Find someone who ...	Nombre
went to the movies last night	
ate pizza last weekend	
got up late yesterday	
watched television last night	
went to a party last weekend	
lived in an apartment last semester	
got an A on the test	
talked on the phone yesterday	
did something interesting last year	
went to bed late last night	
went out with friends last weekend	
did their homework last night	
arrived late to class last week	
read the newspaper this morning	

Speaking Activities

DIÁLOGOS

With a classmate, write a short dialogue based on one of these situations. Use the cues as a guide. Be prepared to role-play your dialogue with your partner for the class.

1. **En el aeropuerto** At the airport in Santo Domingo, you run into a classmate who also spent a week in the Dominican Republic. On the plane ride home, have a conversation in which you and your classmate

- talk about what you did and where you went in the D.R.;
- exchange opinions about what you like and don't like about the island;
- explain what gifts you are going to give to friends and family and what you will tell them about your trip.

_____

_____

_____

_____

_____

2. **En la República Dominicana** You and your friend are planning a trip to the Dominican Republic. With your friend, discuss

- what kind of travel you like (**ecoturismo, agroturismo, aventura, hacer camping**, etc.) and why;
- what your parents say about your plans for the trip;
- what you did to get ready and what you need to do.

_____

_____

_____

_____

_____

Expresiones útiles

¡Qué casualidad! (*What a coincidence!*)

Lo que más me gustó fue...

Para mí... (*In my opinion*)

Está bien./Vale. (*Okay.*)

¿Qué te pareció...? (*What did you think of ... ?*)

¿Qué opinas

Me pareció...

¡Cuéntame! (*Tell me!*)

un hotel de lujo/de cinco estrellas (*a luxury/five–star hotel*)

De acuerdo. (*Agreed.*)

Me lo pasé de maravilla. (*I had a great time.*)

Bárbaro./Estupendo./Regio. (*Great.*)

¿En serio? (*Really?*)

Me da igual. (*It doesn't matter to me.*)

ROUND ROBIN: GRAMMAR MONITOR ACTIVITY

In this activity you will work in groups of three. Each partner will alternate roles until all three of you have (1) described what one of the characters usually does and what he/she did differently this past Saturday; (2) asked questions to get more information; and (3) served as the grammar monitor.

Partner A: Describe three things one of the characters usually does on Saturdays and then say what three things he/she did differently this past Saturday. Example: **Generalmente, ... pero el sábado pasado...** Use your imagination. Don't forget your connectors: **primero, luego, entonces, después.**

Partner B: Listen carefully as Partner A talks about the activities of one of the characters. Then ask two questions to get more information about his/her activities.

Partner C: As the grammar monitor, your job is to listen for the correct preterite verb forms. Write down the six verbs you hear. Pay special attention to the pronunciation of the preterite verbs (**pas<u>ó</u>, regres<u>ó</u>,** etc). When Partners A and B are finished, give them feedback on whether or not they are forming the preterite correctly and whether they are putting the stress on the accented last syllable.

Now switch roles. Partner A takes the role of Partner B (the person asking questions), Partner B takes the role of Partner C (the grammar monitor), and Partner C takes the role of Partner A (the describer of activities in the present and past).

CAPÍTULO
9

Communicative Goals for Chapter 9

By the end of the chapter, you should be able to:

- discuss special holidays and parties ❑
- talk about how you feel in different situations ❑
- give emphatic opinions and reactions ❑
- talk more about past events ❑

Grammatical Structures

You should know:

- -ísimo/a ❑
- irregular preterites ❑
- stem-changing preterites ❑
- double object pronouns ❑

PRONUNCIACIÓN: << LOS REYES MAGOS >>

Practice these verses of a carol from Argentina about the Three Kings.

Llegaron ya los reyes
y eran tres,
Melchor, Gaspar
y el negro Baltazar.
Arrope y miel
(*Syrup and honey*)
le llevarán (*will bring*)
y un poncho blanco
de alpaca real.

Changos y chinitas
(*Boys and girls*)
duérmanse,
que ya Melchor,
Gaspar y Baltazar
todos los regalos
dejarán (*will leave*)
para jugar mañana
el Redentor.

El niño Dios
muy bien lo agradeció
(*thanked*); comió
la miel y el poncho
lo abrigó.
Y fue después
que los miró,
y a medianoche
el sol se alumbró (*lit up*).

LISTENING COMPREHENSION: LOS REGALOS DE NAVIDAD

Listen as your instructor reads a passage about Carlos and Mónica's Christmas gifts and fill in the chart below as you hear the information.

	CARLOS	MÓNICA
Juguetes		
Ropa		
Animales		
Electrónicos		

Now listen again and put a check mark (✓) next to the gifts Carlos and Mónica received from **Los Reyes** and an asterisk (*) next to the gifts received from Santa Claus.

126 *Capítulo 9*

LAS EMOCIONES Y LAS REACCIONES

Answer the following questions. Try to think of two responses for each question.

Modelo: ¿En qué situaciones sonríes? →
Sonrío cuando veo a un amigo. También sonrío cuando miro el programa
Modern Family en la televisión.

1. ¿En qué situaciones te sientes feliz?

_____

_____

2. ¿En qué situaciones lloras?

_____

_____

3. ¿En qué situaciones te enojas?

_____

_____

4. ¿En qué situaciones te ríes?

_____

_____

5. ¿En qué situaciones te pones triste?

_____

_____

6. ¿En qué situaciones te quejas?

_____

_____

7. ¿En qué situaciones te pones nervioso/a?

_____

_____

8. ¿En qué situaciones lo pasas bien?

_____

_____

PRÁCTICA: ADJECTIVES OF EMPHASIS

I. Make a comparison between the pairs of items listed using the emphatic form of the adjective given.

Modelo: los hipopótamos/los elefantes (grande) → Los hipopótamos son grandes, pero los elefantes son grandísimos.

1. los coches / los aviones (rápido)

   _____

   _____

2. mis otras clases / la clase de español (interesante)

   _____

   _____

3. los perros / los chimpancés (inteligente)

   _____

   _____

4. la ciudad de Nueva York / el Distrito Federal de México (grande)

   _____

   _____

5. las ratas / las cucarachas (feo)

   _____

   _____

6. los Mercedes / los Porsches (caro)

   _____

   _____

7. Jon Stewart / Stephen Colbert (cómico)

   _____

   _____

8. Michael Dell / Bill Gates (rico)

   _____

   _____

9. la ropa de Gucci / la ropa de Chanel (elegante)

   _____

   _____

10. las composiciones / los exámenes (difícil)

   _____

   _____

II. Now give your opinion about the following people and things using an adjective of emphasis.

Modelo: los gatos → En mi opinión (Creo que) los gatos son hermosísimos.

1. tu mejor amigo/a _____

2. el programa *Empire* _____

3. Eva Longoria _____

4. el profesor/la profesora de español _____

5. las playas de México _____

6. la universidad _____

7. los «talk shows» _____

8. las margaritas _____

9. la pizza de Pizza Hut _____

10. la música de Cold Play _____

III. Now say how you feel in the following situations, using an adjective of emphasis.

1. Cuando saco una A en un examen, estoy... _____.

2. Después de una fiesta, mi apartamento está... _____.

3. Cuando estoy de vacaciones, me siento... _____.

4. Cuando mis padres me visitan, me pongo... _____.

5. Al final del semestre, estoy... _____.

EL PRETÉRITO

Complete the passages with the preterite of the verbs in parentheses.

A. <u>Una cena con amigos</u>

La semana pasada, Julio (1. decidir) _____ invitar a unos amigos a cenar. El jueves, (2. ir - yo) _____ con Julio para comprar los ingredientes para un arroz con pollo. El viernes, Julio y yo (3. volver) _____ a casa después de clase para limpiar (*to clean*) la casa. Él (4. pasar) _____ la aspiradora (*vacuum cleaner*) y (5. sacudir - yo) _____ los muebles (*to dust the furniture*). Después, (6. bañarse - yo) _____ y Julio (7. afeitarse) _____. Luego, Julio preparó la cena y juntos, nosotros (poner) 8. _____ la mesa (*to set the table*).

A las ocho, nuestros amigos (9. llegar) _____. Ellos nos (10. traer) _____ unas flores que (11. poner - yo) _____ encima de la mesa. A las ocho y media, (12. ir - nosotros) _____ al comedor para cenar. ¡Qué rico (13. estar) _____ el arroz con pollo! Después, (14. preparar - yo) _____ el café y se lo (15. servir) _____ a todos.

Nuestros amigos (16. quedarse) _____ hasta las tres de la madrugada (*morning*). ¡Cuánto (17. divertirse - nosotros) _____ y (18. reírse) _____! Esa noche Julio y yo (19. dormir) _____ muy bien. Nosotros no (20. levantarse) _____ hasta las dos al día siguiente. (21. Estar - Yo) _____ cansado todo el día y no (22. poder) _____ hacer nada.

B. <u>Un aniversario de bodas</u>

Para su quinto (*fifth*) aniversario de bodas, Antonio y Carmen (1. hacer) _____ una fiesta. (2. Invitar) _____ a todos sus parientes y amigos. Antonio (3. preparar) _____ y (4. servir) _____ unas tapas riquísimas. No (5. faltar) _____ nadie a la fiesta, y todos les (6. traer) _____ regalos preciosos. Yo les (7. regalar) _____ un álbum de fotos, y de los padres de Carmen, (8. recibir - ellos) _____ unas copas de cristal. En la fiesta, Antonio le (9. leer) _____ un poema de amor a Carmen. Ella (10. ponerse) _____ a llorar. Después, (11. calmarse - ella) _____ , y todos nosotros (12. divertirse) _____ muchísimo.

C. Una fiesta de sorpresa

La última vez que (1. dar - yo) _____ una fiesta, (2. ser) _____

un desastre. (3. Querer - Yo) _____ hacer una fiesta de para el cumpleaños de

mi compañera de casa, Lourdes, pero todo (4. salir) _____ mal. (5. Empezar - Yo)

_____ por invitar a unos quince amigos. Les (6. pedir - yo) _____ ayuda

con los refrescos y las tapas, y todos me (7. decir) _____ que sí. Bueno... el día de

la fiesta, Lourdes (8. enfermarse) _____. (9. Volver - Ella) _____ a casa y

(10. acostarse) _____. Me (11. decir) _____: «No salgo de aquí. Me siento

fatal». (12. Ponerse - Yo) _____ casi histérica. ¿Cómo hacer los preparativos con

Lourdes en la casa enferma?

(13. Pensar - Yo) _____ unos minutos, y por fin (14. tener) _____

una idea. (15. Preparar - Yo) _____ un té con limón para Lourdes. En

el té, (16. poner - yo) _____ una pastilla (*pill*) para dormir. Se lo

(17. servir - yo) _____, (18. cerrar) _____ la puerta de su alcoba

y (19. comenzar) _____ a limpiar (*to clean*) la casa en silencio. Pasó una hora,

y (20. llegar) _____ unos invitados. Pasó media hora más y (21. venir)

_____ otros. Al final, (22. terminar - nosotros) _____ de hacer los

preparativos. (23. Ir - Nosotros) _____ a la sala, (24. sentarse) _____ y

(25. esperar) _____.

Bueno... Lourdes no (26. despertarse) _____ aquella noche. (27. Dormir -

Ella) _____ doce horas y (28. perderse) _____ la fiesta. Los invitados

(29. esperar) _____ una hora, dos horas... y después me (30. dejar - ellos)

_____ sola en casa con toda la comida lista, la música, el pastel, todo. Cuando

Lourdes (31. salir) _____ de su alcoba al día siguiente y (32. ver) _____

todo, me (33. preguntar) _____: «Pero, chica, ¿qué es esto? ¿No sabes que mi

cumpleaños fue ayer?»

PRÁCTICA: IRREGULAR AND STEM-CHANGING PRETERITES

¡Qué cambios (*changes*) más raros! With the full moon, strange things happen. Use the correct preterite forms to indicate what happened when the moon was full.

1. Típicamente los niños **duermen** muy bien, pero anoche _____ muy mal.

2. Doña Lupe siempre me **dice** «Buenas noches», pero anoche no me _____ nada.

3. Casi nunca **tengo** problemas con la tarea, pero anoche _____ muchísimos problemas con hacerla.

4. Por lo general, **puedo** terminar la tarea en una hora, pero anoche no _____ terminarla antes de las once.

5. Mis amigos generalmente **vienen** a verme por la tarde, pero ayer no _____.

6. La tía Susana casi siempre **se pone** ropa elegantísima, pero ayer _____ unos jeans viejos y una camiseta sucia.

7. Pablo casi nunca **está** enfermo, pero _____ mal todo el día ayer.

8. Mi novio me **trae** una flor todos los días, pero ayer no me _____ nada.

9. Generalmente no **hay** muchas fiestas en mi casa de apartamentos, pero anoche _____ tres o cuatro.

10. Siempre **sirven** comida riquísima en Casa Paco, pero anoche me _____ una cena horrible.

11. Mi hijo generalmente **pide** helado de postre, pero anoche _____ pastel de chocolate.

12. Mamá generalmente **se siente** feliz, pero ayer _____ muy triste.

13. Julia y Pablito **se divierten** cuando están juntos, pero ayer no _____ para nada.

14. Típicamente, el Sr. Varela **se despide** de su esposa y sale de casa a las ocho de la mañana, pero ayer no _____ hasta las nueve y media.

15. Dieguito siempre **se ríe** cuando ve *Garfield y sus amigos* en la tele, pero ayer no _____.

16. El bebé **sonríe** cuando ve a su mamá, pero ayer no _____ ni una vez.

17. Los niños típicamente **se visten** muy lento (*slowly*), pero ayer _____ muy rápido.

18. Generalmente mi amigo Raúl **puede** ayudarme con la clase de química, pero anoche él no _____ entender la tarea tampoco.

PRÁCTICA: DOUBLE OBJECT PRONOUNS

Explain who gave which anniversary gifts to Sr. and Sra. Trujillo, according to the drawing below. Use double object pronouns in your answers.

1. ¿Quién les regaló la foto?

   _____

2. ¿Quién les hizo el pastel?

   _____

3. ¿Quién les compró el televisor?

   _____

4. ¿Quién les regaló las entradas (*tickets*) para el concierto?

   _____

5. ¿Quién les compró el libro?

   _____

6. ¿Quién les organizó la fiesta?

   _____

Imagine that you are Marcos. Identify who gave you which presents at your birthday party, according to the drawing. Use double object pronouns in your answers.

1. ¿Quién te dio el regalo grande?

   _____

2. ¿Quién te regaló la camisa?

   _____

3. ¿Quién te compró el radio?

   _____

4. ¿Quién te hizo el pastel?

   _____

5. ¿Quién te regaló el libro?

   _____

6. ¿Quién te hizo la fiesta?

   _____

SEQUENCE OF OBJECT PRONOUNS: TRADUCCIÓN

1. I give it to them. (the gift)

   _____

2. I give it to her. (the invitation)

   _____

3. She gives it to me. (the cake)

   _____

4. We write it to you. (the letter)

   _____

5. They write them to us. (the questions)

   _____

6. They are going to write them to us. (the postcards)

   _____

7. I want to give it to her. (the suitcase)

   _____

8. Do you want to give it to her? (the flower)

   _____

9. Do you want to give it to me? (the money)

   _____

10. We are going to give them to them. (the appetizers)

    _____

11. Is she going to give it to us? (the photo)

    _____

12. Mary is going to buy it for us. (the tent)

    _____

13. Pablo buys them for her. (the cookies)

    _____

14. I buy them for them. (the gifts)

    _____

15. Does he tell it to her? (the answer)

    _____

16. Her parents send it to her. (the ticket)

    _____

EL PRETÉRITO Y LOS PRONOMBRES

Below is a series of questions given from one person/group of people to another about when something will happen. Answer the questions, saying the actions have already (**ya**) taken place, using the preterite and both object pronouns.

Modelo: (*you ask friends*): ¿Cuándo van a darme Uds. mi regalo de cumpleaños?
(*your friends say*): ¡Ya te lo dimos!

1. (*your mother asks*): ¿Cuándo vas a escribirle esa carta a tu tía Hortensia?

   (*you say*): _____

2. (*your professor asks the class*): ¿Cuándo van a entregarme Uds. la tarea?

   (*you say*): _____

3. (*your roommate asks*): ¿Cuándo vas a prestarme tu coche nuevo?

   (*you say*): _____

4. (*your nosy friend asks*): ¿Cuándo va a darte tu novio/a tu regalo de aniversario?

   (*you say*): _____

5. (*your Spanish class asks*): Profesora, ¿cuándo va a enseñarnos el pretérito?

   (*your professor says*): _____

6. (*your nosy friend asks again*): ¿Cuándo vas a mostrarme las fotos de tu novio/a?

   (*you say*): _____

7. (*your guilty conscience asks*): ¿Cuándo vas a mandarle esas flores a tu abuela?

   (*you say*): _____

8. (*your poor friend asks*): ¿Cuándo vas a darme el dinero que me debes (*owe*)?

   (*you say*): _____

9. (*your lazy roommate asks*): ¿Cuándo vas a lavarme los platos?

   (*you say*): _____

10. (*you ask your lazy roommates*): ¿Cuándo van a plancharme (*to iron*) la ropa?

    (*they say*): _____

REPASO: CAPÍTULO 9

I. Vocabulario

A. Párrafo. Complete this paragraph using the correct form words and phrases from Chapter 9.

Juan Ramón (1. *got angry*) _____ esta mañana porque hoy es su

(2. *birthday*) _____ y piensa que lo olvidé. Pero no lo olvidé; le voy a

(3. *give*) _____ una fiesta sorpresa. Juan Ramón va a (4. *have a good time*)

_____ Conchita y Ernesto van a preparar las (5. *appetizers*) _____

para comer, y Alberto y Angélica van a llevar los (6. *refreshments*) _____ para

beber. Quiero ver su cara (*face*) cuando gritemos (*we shout*) (7. *"Congratulations!"*)

«¡_____!» Va a (8. *become*) _____ feliz.

B. Las emociones. Complete the following sentences.

1. Me enojo cuando _____.

2. Me río cuando _____.

3. Me quejo cuando _____.

4. Me siento triste cuando _____.

C. Las asociaciones. Match the holidays in the first column with the items in the second, and add one more word that you associate with that holiday.

1. La Navidad: _____ y _____   a. el pavo (*turkey*)

2. La Pascua: _____ y _____   b. los huevos decorados

3. La Noche Vieja: _____ y _____   c. muchos regalos

4. El Día de Gracias: _____ y _____ d. besos (*kisses*) a medianoche

II. Gramática

A. Being emphatic. Translate to Spanish.

1. These gifts are extremely expensive.

_____

2. He always feels extremely sad at Christmas.

_____

3. The desserts are extremely good.

_____

B. <u>Irregular Preterite Forms</u>. Fill in the chart below.

Presente	Pretérito
1. pongo	1. _____
2. duermen	2. _____
3. _____	3. empecé
4. _____	4. supe
5. puede	5. _____
6. sirven	6. _____

C. <u>Irregular and Stem-Changing Preterites</u>. Complete the passage about Ángela's awful day with the correct form of the verb in parentheses.

Anoche ella (1. poner) _____ el despertador (*alarm clock*) para las seis. (2. Dormir) _____ muy mal y por eso, (3. despertarse) _____ tarde, a las siete y media. Se bañó y (4. vestirse) _____ muy rápido, pero llegó tarde a la oficina. Su jefe (5. ponerse) _____ muy enojado, y le (6. decir) _____: «Ángela, vas a tener que terminar todo este trabajo hoy». A mediodía, ella (7. almorzar) _____ en un restaurante cerca de su oficina. Comió muy rápido y (8. volver) _____ a la oficina casi inmediatamente. Por eso, no (9. sentirse) _____ bien toda la tarde. Y (10. estar) _____ trabajando hasta las diez de la noche.

D. <u>La fiesta de Steven Spielberg</u>. Your friend Andrés crashed Steven Spielberg's party last night. Ask him about it, forming questions from the infinitive phrases.

Modelo: estar en la fiesta anoche (tú) → ¿Estuviste en la fiesta anoche?

1. servir tapas ricas (ellos)

   _____

2. venir muchos actores famosos

   _____

3. saber el teléfono de Katy Perry (tú)

   _____

4. poder hablar con Chris Rock (tú)

   _____

5. traerle un regalo a Steven (tú)

_____

6. conseguir el autógrafo de Jessica Alba (tú)

_____

7. divertirse todos

_____

E. Double Object Pronouns. Fill in the charts with the two sets of object pronouns.

DIRECT			INDIRECT	

1. Which pronoun comes first, indirect or direct? What happens when both pronouns start with the letter l?

_____

2. Substitute both objects with pronouns and rewrite the sentence.

   a. Voy a comprarle estas flores a mi amigo.

   _____

   b. Mis padres me mandaron las galletas ayer.

   _____

   c. Te voy a contar el secreto.

   _____

   d. Necesito darles estas invitaciones a mis amigos.

   _____

   e. Ella nos está explicando el problema ahora.

   _____

F. Traducciones. Use both object pronouns in the correct order.

1. They bought it for me. (**el regalo**)

_____

2. I sent it to her. (**las flores**)

_____

3. We gave it to them. (**la invitación**)

_____

4. She is serving them to him right now. (**las tapas**)

_____

III. Diálogo

You and your cousin are talking about your trip to Argentina during winter break. Write a dialogue in which:

- your cousin asks how you felt being away from the family during the holidays;
- you explain how it felt and what you did there (don't forget it was summer in Argentina in December);
- your cousin tells you what he/she did and then asks if you are going to travel again next winter during the holidays;
- you tell him/her what your plans are.

_____

_____

_____

_____

_____

_____

_____

_____

_____

_____

BINGO: LA VIDA PERSONAL

cumple años este mes.	da muchas fiestas.	faltó a clase esta semana.	va a la playa para las vacaciones de primavera.	A ___ no le gustan los días festivos.
discute mucho con su novio/a.	llora cuando ve películas tristes.	se olvidó de su libro de texto hoy.	se siente feliz hoy.	A ___ le encantan los fuegos artificiales. (fireworks)
siempre mira el desfile en la tele el Día de Acción de Gracias.	gasta mucho dinero en su novio/a.	odia el Día de los Enamorados.	se enfermó la semana pasada.	siempre se porta bien en la clase de español.
La familia de ___ celebra el Día de los Reyes Magos.	se reúne con amigos esta tarde.	tuvo una quinceañera.	siempre asiste a una fiesta para la Noche Vieja.	estuvo en un desfile (parade) una vez.
se divirtió mucho el fin de semana pasado.	se siente triste hoy.	celebra su cumpleaños y su día del santo también.	Este año, ___ no vuelve a casa para el Día de Acción de Gracias.	se sintió mal el Día de Año Nuevo.

GUIDED WRITING AND SPEAKING: EN LA FIESTA DE LOS GARCÍA

A. Study the drawing and then work with a partner to form six questions about Manuel and Isabel's anniversary party. Use different interrogative words for each question. Use your imagination and the vocabulary from this chapter and previous chapters.

1. _____

2. _____

3. _____

4. _____

5. _____

6. _____

B. Imagine you are one of the characters depicted in the drawing. Write an e-mail to one of your cousins who was not able to attend the party. Tell what you did at the party, what your relatives served, and what gifts your grandparents received.

_____

_____

_____

_____

_____

_____

C. With a partner, role-play a dialogue between any two of the characters in the drawing.

Try to talk about the party scene below for 60 seconds. "Show off" all you have learned up to this point in the semester. Check the **Communicative Goals** boxes at the beginning of each chapter of your Supplement to see all that you should be able to do. For this oral proficiency practice, the following topics are suggested. Try to use connectors (**porque, pero, y, también, por eso**) to make your description sound more fluent and natural.

1. Description (age, personality, physical appearance, clothing)
2. Likes and dislikes
3. Description of feelings
4. Actions taking place right now
5. What people did last weekend
6. Comparisons
7. Future plans

After you've finished your description, imagine you are talking to the characters in the drawing. Ask at least two questions of one or more characters.

Speaking Activities

Communicative Goals for Chapter 10

By the end of the chapter, you should be able to:

- talk about free time and household chores ☐
- talk about what you used to do ☐
- describe past conditions and states ☐
- express extremes ☐
- get information by asking questions ☐

Grammatical Structures

You should know:

- imperfect of regular and
  irregular verbs ☐
- question words ☐
- superlatives ☐

LISTENING COMPREHENSION: TRABAJANDO EN CASA

Listen as your instructor describes the household chores of the Pacheco family. The first time you hear the description, listen for what chores each person has already done and what he/she still needs to do, and write them next to the person. The second time, listen for the answers to the true-false statements below.

el Sr. Pacheco

Iván

Lydia

¿Cierto o falso?

1. ☐ C ☐ F Iván no es un chico muy organizado.
2. ☐ C ☐ F A Lydia le encanta planchar.
3. ☐ C ☐ F La Sra. Pacheco no ayuda en casa hoy porque está enferma.
4. ☐ C ☐ F A Lydia no le importa tener un cuarto ordenado.
5. ☐ C ☐ F El Sr. Pacheco no piensa lavar el coche solo.
6. ☐ C ☐ F El Sr. Pacheco ya puso la mesa.

EL IMPERFECTO: INTRODUCCIÓN

The imperfect (**A**) sets the scene by providing background information; (**B**) describes what was going on in the past before something else happened; (**C**) describes people, places, things, and emotions in the past; and (**D**) explains habitual actions in the past.

A. Set the scene by providing background information about time, weather, and age. Use the imperfect for each of the following pictures.

1. Tiempo   2. Hora   3. En 1979   4. Tiempo

1. _____
2. _____
3. _____
4. _____

B. Describe what was going on before something else happened. Use the imperfect to tell what each person in the house was doing before la tía Tatiana arrived.

1. Beatriz _____
2. Tomás _____
3. Inés _____
4. Gregorio _____

C. Describe physical and emotional conditions in the past. Use the imperfect to describe Leo's room; how Rosa, Mari, and Diego looked at the prom; and how Rafael felt while watching the movie.

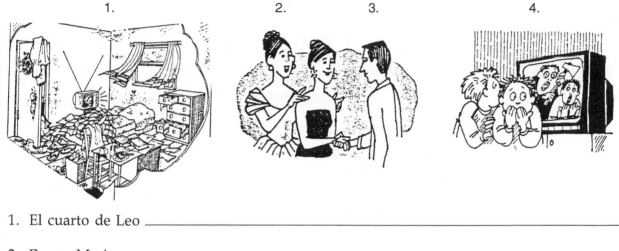

1. El cuarto de Leo _____

2. Rosa y Mari _____

3. Diego _____

4. Rafael _____

D. Talk about habitual actions in the past. Use the imperfect to describe what Pablo used to do when he was young. Mention five activities.

_____

_____

_____

_____

PRÁCTICA: EL IMPERFECTO

Complete the passages with the imperfect of the verbs in parentheses.

A. Mi niñez en México

     Cuando yo (1. ser) _____ joven, (2. vivir) _____ en Jalapa, México. Todos los domingos mi familia (3. ir) _____ a la casa de mis abuelos para almorzar. Al llegar (*As soon as we arrived*), mi padre siempre (4. hablar) _____ con mis tíos sobre las noticias, y mi madre y sus hermanas (5. ayudar) _____ a mi abuela en la cocina. Nosotros (6. comer) _____ a las tres de la tarde y después (7. jugar) _____ un rato en el patio. ¡Qué bonitos recuerdos! Pero cuando yo (8. tener) _____ 16 años, nos mudamos (*moved*) a la capital y solo (9. volver) _____ a Jalapa para pasar la Navidad. ¡Qué triste!

B. De vacaciones en Chile

     De niña, yo (1. tener) _____ muchas oportunidades de viajar porque mi padre (2. trabajar) _____ para IBM Internacional. Todos los años mi familia (3. ir) _____ a Viña del Mar para el mes de enero. Nosotros (4. salir) _____ tres días después de la Navidad y (5. volver) _____ el primero de febrero. Mis hermanos y yo (6. pasar) _____ el invierno jugando en las playas chilenas. (7. Divertirse - Nosotros) _____ muchísimo.

C. Paco y Paquito. Paco is always complaining about his son Paquito's behavior. But Paco's mother says that Paco used to act the same way. Rewrite the paragraph about Paquito to explain what Paco used to do, according to his mother.

Cada mañana Paquito apaga el despertador (*shuts off the alarm*) y duerme media hora más. No desayuna bien y sale de la casa corriendo. Llega tarde a la escuela y no escucha a la profesora. Nunca hace su tarea y por eso tiene que quedarse en la escuela hasta las cinco cada día.

Paco, cada mañana tú también _____

_____

_____

_____

PRÁCTICA: LAS PALABRAS INTERROGATIVAS

I. <u>Los quehaceres</u>. Complete the questions about the drawing with the correct missing interrogative word. Then answer the questions, using the drawing and your imagination.

1. ¿ _____ platos sucios hay en la cocina?

   _____

2. ¿ _____ están enojados los padres?

   _____

3. ¿ _____ hay debajo del sofá?

   _____

4. ¿A _____ le toca sacar la basura?

   _____

5. ¿ _____ le toca hacer a Armando?

   _____

6. ¿ _____ es el quehacer que menos le gusta a Dalila?

   _____

7. ¿ _____ fueron los padres?

   _____

8. ¿ _____ es el problema entre Dalila y Armando?

   _____

II. ¿Cuál(es)? vs. **¿Qué?** Complete the questions with the correct interrogative, then answer each based on your own experiences.

1. ¿ _____ haces en tus ratos libres?

   _____

2. En tu opinión, ¿ _____ es el pasatiempo más aburrido?

   _____

3. ¿ _____ eran tus pasatiempos favoritos cuando eras niño/a?

   _____

4. ¿ _____ programas de televisión te gustaban más?

   _____

5. ¿ _____ película quieres ver este fin de semana?

   _____

6. ¿ _____ tenías que hacer en casa cuando eras niño/a?

   _____

7. ¿ _____ te toca hacer en casa hoy?

   _____

8. En tu opinión, ¿ _____ aparato doméstico es el más necesario?

   _____

SUPERLATIVOS (I)

A. <u>En mi opinión.</u> Complete the sentences, expressing your opinions.

1. El mejor mes del año es _____, porque _____

   _____

2. La peor actriz en Hollywood es _____. Sin embargo,

   _____

3. El peor quehacer doméstico es _____. Por eso, _____

   _____

4. El mejor programa de televisión es _____, porque _____

   _____

5. El país latinoamericano más interesante es _____, porque

   _____

6. El día festivo menos divertido es _____. Sin embargo,

   _____

B. <u>Más opiniones.</u> From the items in each group, write one sentence in Spanish using the superlative construction.

   Modelo: **actores**   Ben Affleck / Matt Damon / Johnny Depp (guapo)
                                    Johnny Depp es el más guapo de los tres actores.

1. **quehaceres**   barrer el suelo / planchar la ropa / sacar la basura (difícil)

   _____

2. **deportes**   el ciclismo / la natación / el esquí acuático (interesante)

   _____

3. **pasatiempos**   dar un paseo / hacer un picnic / jugar a las cartas (aburrido)

   _____

4. **las ciudades**   Acapulco / Aspen / Nueva York (divertido)

   _____

5. **aparatos**   el horno de microondas / la estufa / el lavaplatos (necesario)

   _____

SUPERLATIVOS (II)

Look at the drawings below. Who is the most or least _____? Write eight sentences about what you see in the drawings, using the superlative construction.

Esteban

Luis

Manolín   Susana   Gonzalo   los Ortega

1. _____

2. _____

3. _____

4. _____

Elisa   Diana   Tomás   Cristina y Nacho

Beto

1. _____

2. _____

3. _____

4. _____

REPASO: CAPÍTULO 10

I. Vocabulario

A. ¿Qué puedes hacer? What activities can you do in the following situations? Choose at least two activities from Chapter 10.

1. Quieres estar afuera.

   _____

2. Necesitas hacer un poco de ejercicio.

   _____

3. Tienes ganas de quedarte en casa.

   _____

4. Te gustaría escuchar un poco de música.

   _____

5. Quieres hacer algo con un grupo de amigos.

   _____

6. Hace mucho calor.

   _____

B. Los quehaceres domésticos. Explain what chores you do and don't do around the house or apartment. Mention at least four chores.

_____

_____

_____

_____

C. Faltan palabras. Complete the following passage with the Spanish equivalents of the English words in parentheses.

En el mundo hispano, los (*pastimes*) _____ son tan variados y numerosos como en los Estados Unidos. Las (*activities*) _____ pueden variar, pero hay aficiones que son muy populares en todo el mundo hispano: (*going to the movies*) _____, el baile, las visitas y los (*sports*) _____. El (*cycling*) _____, el boxeo y el (*soccer*) _____ son los deportes preferidos. Y en México, el Caribe y Venezuela, el (*baseball*) _____ es muy popular.

En la Latinoamérica y España, no se televisan (*games*) _____
con la misma frecuencia que en los Estados Unidos, pero hay excepciones: las Olimpiadas,
los Juegos Panamericanos y la Copa Mundial de fútbol. Casi todos los países del mundo
hispano tienen (*teams*) _____ que participan en esta competición. Cuando
(*plays*) _____ el equipo nacional, todos los (*fans*) _____ tratan
de estar delante del televisor, y si su equipo (*wins*) _____, hay grandes fiestas y
celebraciones por todo el país.

II. <u>Gramática</u>

A. <u>¿Qué hacían cuando alguien llamó a la puerta?</u> Write what everyone was doing when
   someone knocked on the door.

1. Tomás _____.

2. Nuria y Benito _____.

3. El Sr. Cárdenas _____.

4. Teresa y Roberto _____.

5. La Sra. Cárdenas _____.

B. <u>En el pasado...</u> Contesta en español.

1. ¿Cómo eras cuando tenías 15 años?

   _____

2. ¿Dónde vivías antes de ir a la universidad?

   _____

3. ¿Cómo era tu escuela primaria?

_____

4. ¿Qué te gustaba hacer cuando eras niño/a?

_____

5. ¿Qué hacías anoche a las siete? ¿Y a las doce?

_____

C. Los superlativos. Answer the following questions in Spanish.

1. What is the worst class you have this year?

_____

2. Where can you eat the best Mexican (Chinese, Italian) food in town?

_____

3. Who is the smartest person you know?

_____

4. What is the most difficult sport?

_____

5. What was the funniest movie you saw last year?

_____

D. Las palabras interrogativas. Leticia is telling you about her weekend plans. Create a logical question for each of her answers.

1. Tú: ¿ _____?
   Leticia: Este fin de semana, voy a un concierto.

2. Tú: ¿ _____?
   Leticia: El grupo se llama «Los Romanceros».

3. Tú: ¿ _____?
   Leticia: Ellos tocan música tejana y mexicana.

4. Tú: ¿ _____?
   Leticia: Van a tocar en el Club Paraíso.

5. Tú: ¿ _____?
   Leticia: Las entradas (tickets) cuestan 20 dólares.

6. Tú: ¿ _____?
   Leticia: El nombre de su nuevo CD es «Contigo siempre».

III. Diálogo

You're trying to set up a blind date between Alicia, a great athlete and sports fan, and Fernando, a heavy-duty partier. Write a short dialogue, in which you call up either Fernando or Alicia and:

- describe the other person to him/her;
- explain what they can do on a date;
- ask if Fernando/Alicia will call the other person.

_____

_____

_____

_____

_____

_____

_____

KEY LANGUAGE FUNCTIONS: DESCRIPTION, COMPARISON, EXPRESSING LIKES AND DISLIKES, NARRATION IN THE PAST

At this point in the course, you should be able to describe, compare, discuss likes and dislikes, and talk about the past. The chart below shows the linguistic tools needed to perform these four key language functions accurately.

DESCRIBIR D — To construct a description →	Vocabulary →	Linguistic Tools Needed: • **ser** vs. **estar** • noun-adjective agreement
COMPARAR C — To construct a comparison →	Vocabulary →	Linguistic Tools Needed: • noun-adjective agreement • **más/menos... que** • **tan... como** • **tanto/as/os/as... como**
GUSTOS G — To construct a statement → expressing likes and dislikes	Vocabulary →	Linguistic Tools Needed: • **Gustar**-type constructions • Indirect object pronouns
PASADO P — To construct a description → in the past	Vocabulary →	Linguistic Tools Needed: • Imperfect

Take turns with a partner talking about the following topics. Remember to pay attention to the linguistic tools (the grammar rules) you need to express these key language functions accurately.

- Describe what your apartment or dorm room looks like the week of finals.
- Describe how you and your best friend celebrate your birthdays. Include what you give each other and how you make the day special.

- Compare Christmas in the U.S. and Christmas in Latin America.
- Compare two sports.

- Tell what your mother likes about the holidays and what bothers her about them.
- Tell what you like about Valentine's Day and what bothers you about this holiday.

- Tell what you were like when you were 13. Include what things you used to do at that age.
- Tell what you used to do during your favorite holiday when you were a child.

GUIDED WRITING AND SPEAKING:
EN UN PARQUE DE BUENOS AIRES

A. Using the drawing and your imagination, answer the following questions in complete Spanish sentences. Pay careful attention to the way the questions are phrased in order to use the correct structures in your answers.

1. What is Pablo doing at this moment?
2. Who bought Javi a balloon? (**el globo** = balloon)
3. What does Lola have to do later?
4. What did Marta like to do when she was little?
5. What are Juan and his friends doing?
6. Why did Luis invite Mari to the park?
7. What was Luis' old girlfriend like?
8. Who is the strangest person in the park today?
9. What plans are Lola and Marta making for the weekend?
10. What did they do last weekend?

B. Write a short paragraph describing what Marta and Lola used to do on the weekends before they had children.

C. With a partner, role-play a dialogue between any two characters in the drawing.

BINGO: ¿QUÉ HICISTE?

tomó una siesta ayer.	fue a México en marzo.	dio una fiesta el mes pasado.	miró la tele anoche.	compró algo ayer.
no asistió a clase la semana pasada.	salió con unos amigos anoche.	comió en McDonald's esta semana.	visitó a su familia el fin de semana pasado.	cenó en un restaurante la semana pasada.
escribió una carta ayer.	llegó tarde a clase ayer.	se acostó tarde el sábado.	no estudió anoche.	tomó un café esta mañana.
perdió algo la semana pasada.	leyó el periódico esta mañana.	fue de compras el fin de semana pasado.	fue a la biblioteca anoche.	hizo algo interesante el domingo.
tuvo una cita (date) el viernes.	habló por teléfono ayer.	hizo un viaje el año pasado.	vio una película buena.	tomó un examen ayer.

BINGO: ¿QUÉ HACÍAS DE NIÑO?

____ montaba a caballo.	____ nadaba con un equipo.	____ jugaba mucho con sus hermanos.	____ no limpiaba su cuarto nunca.	____ ayudaba mucho en casa.
____ odiaba los deportes.	____ tenía muchos quehaceres.	____ iba a la escuela en bicicleta.	____ jugaba al fútbol con un equipo.	____ tenía un perro.
A ____ no le gustaba viajar.	____ vivía en otro estado.	____ era travieso/a (mischievous).	____ ponía la mesa todos los días.	A ____ le gustaba la escuela.
____ leía mucho.	____ tocaba un instrumento.	____ tenía un gato.	____ quería ser astronauta.	____ vivía en otro país.
____ tenía que hacer su cama siempre.	____ sacaba la basura todos los días.	____ veía mucho la televisión.	____ vivía con sus abuelos.	____ tenía su propia computadora.

INFORMATION GAP ACTIVITY: LA FAMILIA YBARRA (COMPAÑERO/A #1)

The chart below shows some of the things the Ybarra family used to do when they lived in Madrid a few years ago. Ask your partner questions about the activities of different family members, and fill in the missing pieces of information on your chart. Answer your partner's questions using the information you already have on your own chart. When you've finished, check with your partner to make sure you've gotten the correct answers.

Modelo: Tu compañero/a: ¿Qué hacía Margarita los viernes por la noche?
Tú: Ella leía novelas en casa.

El viernes por la noche	El sábado por la mañana	El domingo por la tarde
Margarita	Margarita	Margarita y Pedro
Pedro	Pedro	Margarita y Pedro
Amanda y sus amigos	Amanda y Graciela	Amanda y Graciela
Guillermo	Guillermo	Guillermo

INFORMATION GAP ACTIVITY: LA FAMILIA YBARRA (COMPAÑERO/A #2)

The chart below shows some of the things the Ybarra family used to do when they lived in Madrid a few years ago. Ask your partner questions about the activities of different family members, and fill in the missing pieces of information on your chart. Answer your partner's questions using the information you already have on your own chart. When you've finished, check with your partner to make sure you've gotten the correct answers.

Modelo: Tu compañero/a: ¿Qué hacían Margarita y Pedro los domingos por la tarde?
                Tú: Ellos daban un paseo en el parque.

El viernes por la noche	El sábado por la mañana	El domingo por la tarde
Margarita	Margarita	Margarita y Pedro
Pedro	¡Dale, Guillermo! Pedro	Margarita y Pedro
Amanda y sus amigos	Amanda y Graciela	Amanda y Graciela
Guillermo	Guillermo	Guillermo

CAPÍTULO
11

Communicative Goals for Chapter 11
By the end of the chapter, you should be able to:

- talk about your health ❏
- talk about past actions and events ❏
- express reciprocal actions ❏

Grammatical Structures
You should know:

- use of the preterite and imperfect ❏
- relative pronouns ❏
- reciprocal pronouns ❏

PRONUNCIACIÓN

Listen as your instructor reads these Spanish sayings related to parts of the body, then repeat. Match the Spanish expression with its English equivalent.

_____ 1. Se escapó por los pelos.
_____ 2. No tiene pies ni cabeza.
_____ 3. Está para chuparse los dedos.
_____ 4. Más ven cuatro ojos que dos.
_____ 5. Más vale un pájaro en mano que cien volando.
_____ 6. Adonde el corazón se inclina, el pie camina.
_____ 7. En boca cerrada no entran moscas.
_____ 8. Ojos vemos, corazones no sabemos.
_____ 9. Estar hasta las narices.

a. A bird in the hand is worth two in the bush.
b. To have had it up to here.
c. Where the heart leads, the feet follow.
d. I can't make heads or tails of it.
e. You can't read a book by its cover.
f. Two heads are better than one.
g. It's finger-licking good.
h. He made it by the skin of his teeth.
i. Close your mouth; you're catching flies.

LISTENING COMPREHENSION: EL EXAMEN DE JUAN

Read the following statements. Based on the story about Juan's dilemma, decide whether they are **cierto (C)** or **falso (F)**.

1. ❏ C   ❏ F   A Juan le dolía la cabeza porque estudiaba mucho.

2. ❏ C   ❏ F   Decidió ir al hospital porque no quería tomar el examen de español.

3. ❏ C   ❏ F   El médico notó inmediatamente que Juan estaba muy enfermo.

4. ❏ C   ❏ F   Después de ver a Juan, el médico salió del cuarto y habló con otra doctora.

5. ❏ C   ❏ F   Cuando Juan oyó que los dos médicos hablaban de una operación, llamó a su profesora.

6. ❏ C   ❏ F   Juan decidió tomar el examen.

PRÁCTICA: INTRODUCTION TO PRETERITE VS. IMPERFECT

Look at the drawing below, then read the questions. Would the underlined verbs in each question be expressed with preterite (P) or imperfect (I)? Which verbs are the correct choices for the answers?

1. What <u>was</u> (□ P   □ I) Sofía's dress like?
   (Fue / Era) un vestido negro y elegante.

2. Who <u>called</u> (□ P   □ I) Marina?
   La (llamó / llamaba) Jorge.

3. Whom <u>did</u> Esteban <u>meet</u> (□ P   □ I)
   at the party?
   (Conoció / Conocía) a Patricia.

4. What <u>did</u> Gema <u>bring</u> (□ P   □ I)
   to the party?
   (Trajo / Traía) una botella de champán.

5. How <u>was</u> Jorge <u>feeling</u> (□ P   □ I)?
   (Se sintió / Se sentía) bastante mal.

6. <u>Did</u> he <u>have</u> (□ P   □ I) a stomachache or a headache?
   (Tuvo / Tenía) un dolor de cabeza horrible.

7. What <u>was</u> Marina <u>doing</u> (□ P   □ I) when the phone <u>rang</u> (□ P   □ I)?
   Ella (sirvió / servía) unas botanas cuando (sonó / sonaba) el teléfono.

8. What time <u>was</u> (□ P   □ I) it when the party <u>started</u> (□ P   □ I)?
   (Fueron / Eran) las ocho cuando (empezó / empezaba) la fiesta.

9. What <u>did</u> Javier's daughter <u>want</u> (□ P   □ I) to do?
   (Quiso / Quería) jugar con su hermanita.

10. What <u>was</u> Javier's daughter <u>doing</u> (□ P   □ I) while he <u>was talking</u> (□ P   □ I) to Paco?
    Ella (lloró / lloraba) mientras su papá (habló / hablaba) con Paco.

11. How many glasses of champagne <u>did</u> Ernesto <u>have</u> (□ P   □ I)?
    (Tomó / Tomaba) cinco copas de champán.

12. Why <u>was</u> (□ P   □ I) Sultán, the dog, happy?
    (Estuvo / Estaba) contento porque le gustan las fiestas.

PRÁCTICA: EL EXAMEN DE REGINA

Complete the passage using the preterite and imperfect. Use the pictures to help you decide which tense is the correct choice.

(1. Ser) _____ las nueve de la mañana cuando Regina (2. empezar) _____ a estudiar para su examen de historia.

Su compañera (3. levantarse) _____ a las once, (4. llamar) _____ a su novio y (5. poner) _____ la música muy alta. Regina no (6. estar) _____ contenta porque (7. tener) _____ que estudiar más.

(8. Tomar) _____ el examen a la una.
(9. Estar) _____ muy tensa porque el examen
(10. ser) _____ muy largo.

Al día siguiente cuando (11. entrar) _____ en el salón para ver su examen, (12. estar) _____ muy nerviosa.

Pero (13. sacar) _____ una «A». (14. Estar) _____ contentísima.

PRÁCTICA: UNA VISITA AL MÉDICO

Juanito had to go to the doctor for a checkup yesterday. Tell what happened, using the drawings and the verbs below as a guide. Write at least two sentences for each drawing. Include one preterite or one imperfect verb in each sentence.

1. llegar / estar nervioso

_____

_____

2. hablar con la enfermera / sentirse mal

_____

_____

3. escribir / esperar

_____

_____

4. examinar / no tener miedo

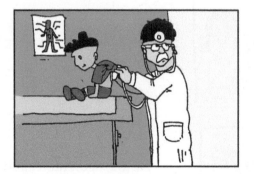

_____

_____

5. dar medicina / no querer

_____

_____

6. salir / estar contento

_____

_____

PRÁCTICA: MORE PRETERITE VS. IMPERFECT

Complete with the preterite or imperfect.

1. El viernes pasado mi profesor de sociología (decir) _____ que nosotros (ir) _____ a tener un examen dentro de algunos días. Después de la clase, (decidir - yo) _____ ir a la biblioteca para leer el libro que (estar) _____ en la lista de reserva. Se lo (pedir - yo) _____ a la señorita y ella me lo (traer) _____ después de unos minutos. (Haber) _____ muchos estudiantes allí que (leer) _____ sus textos. Cuando (ser) _____ las cinco, (regresar - yo) _____ a mi casa para estudiar más.

2. Nuestro amigo Pancho tuvo mala suerte ayer. (Despertarse) _____ con un dolor de cabeza y (llegar) _____ tarde a la clase de español, a las ocho y media. ¡(Tener) _____ mucho sueño! En la clase, mientras la profesora (hablar) _____, Pancho (dormirse) _____ y (empezar) _____ a roncar (*to snore*). De repente el libro de la profesora (caerse [*to fall*]) _____ al suelo. ¡PLAS! La profesora (gritar) _____: «¡No se puede dormir en mi clase! ¡Fuera de aquí! (*Get out of here!*)» Pancho (levantarse) _____ y mientras (caminar) _____ hacia la puerta los estudiantes (reírse) _____.

3. (Hacer) _____ mucho frío y viento. (Ser) _____ una noche típica de invierno. Yo (leer) _____ el periódico mientras mi esposo (preparar) _____ la cena. De repente él (empezar) _____ a gritar. (Ir - Yo) _____ a la cocina y le (preguntar) _____: «¿Qué te pasa?» Él me (decir) _____ que un ratón (correr) _____ por la cocina. Él (tener) _____ miedo y yo también. ¡No me gustan los ratones!

PRÁCTICA: UNA AVENTURA EN LA SELVA

Write a story about Daniel and David's adventure in the jungle. Use the drawings, your imagination, and the suggestions in the chart to help you recount the story.

Para crear el ambiente	Para añadir emoción y descripción
Era un día caluroso...	Era...
Eran las 2:00 de la tarde...	Se sentía...
Estábamos...	Tenía/Había...
Para contar eventos	**Para resumir**
Primero..., Luego...,	Fue horrible (increíble,
De repente..., Entonces ...,	emocionante, fenomenal).
Después..., Finalmente ...	

Vocabulario útil: **la canoa** (canoe), **el chaleco salvavidas** (life jacket), **los mosquitos, la piraña** (piranha), **la selva** (jungle)

1.

2.

3.

4.

_____
_____
_____
_____
_____
_____
_____
_____
_____
_____

¿QUE, QUIEN, QUIENES O LO QUE?

Complete each sentence with the correct relative pronoun.

Remember: 1. **que** is almost always used
2. when talking about a person, use **quien(es)** after a preposition (**de, en, con, a, acerca de,** etc.)
3. **lo que** = *the thing(s) that, what (that which)*

1. Ese es el carro _____ queremos comprar: el nuevo Honda Civic. Mi hermana, _____ tiene uno igual, dice que le gusta mucho. Y una mujer con _____ hablamos en el supermercado está muy contenta con su Honda también.

2. El programa _____ más me gusta ba de niña era *El barrio del Sr. Rogers.* _____ más me encantaba del Sr. Rogers era su sentido del humor. Creo que el Sr. Rogers fue un hombre _____ siempre entendió muy bien a los niños.

3. Los estudiantes _____ hicieron la tarea sacaron mejor nota en el examen. La profesora, con _____ hablé ayer, dijo que las notas eran bajísimas. _____ a mí me pareció muy difícil fue la sección de verbos.

4. Mamá, Papá, esta es la mujer con _____ me quiero casar (*to marry*). Se llama Laura. Queremos invitarlos a la boda (*wedding*), _____ va a ser en junio. Los padres de Laura, a _____ llamamos anoche, están muy contentos.

5. Aquellos son los chicos de _____ te hablé. El chico _____ lleva camisa anaranjada se llama Javier y el muchacho bajito con _____ está hablando ahora se llama Mauricio.

6. Este es el restaurante _____ tanto me gustó. _____ más me gusta de este lugar son las ensaladas.

7. No hay nadie a _____ yo le pueda explicar el problema. Mis amigos Roberto y Jaime, con _____ hablé anoche, no me entendieron. El problema, _____ es muy complicado, me preocupa mucho.

8. No hay nada aquí _____ podamos comer. _____ pasa es que somos todos vegetarianos. ¿Por qué no vamos a ese café macrobiótico _____ tanto te gusta?

9. ¿Sabes _____ me dijo Conchita? Me dijo que Lupe, con _____ salía Paco antes, sale ahora con Ricardo. _____ más me sorprende es que Lupe salga con un chico tan egoísta.

PRÁCTICA: RECIPROCAL PRONOUNS

Complete the passage about Romeo and Juliet with the correct form of the verbs in parentheses. You may use preterite, imperfect, or the infinitive, according to the context. Remember to use the correct reflexive pronoun to express the reciprocal action.

Al comienzo de la historia, Romeo y Julieta no (1. conocerse) _____. Ellos (2. verse) _____ por la primera vez una noche en una fiesta en la casa de Julieta. Esa misma noche, después de la fiesta, Romeo fue a la casa de Julieta. La vio en el balcón de su alcoba, y los jóvenes (3. hablarse) _____ por varias horas. (4. Decirse) _____ muchas palabras de amor y descubrieron que (5. quererse) _____ muchísimo. Cuando por fin Romeo se fue, él y Julieta (6. darse) _____ la mano en una escena muy romántica.

Pero había un problema muy grave: las familias de Romeo y Julieta eran grandes enemigos. Los Capulet y los Montague (7. odiarse) _____ desde hace siglos (*for centuries*). A pesar de (*Despite*) eso, Romeo y Julieta decidieron casarse. Una tarde, ellos (8. encontrarse) _____ en el monasterio del buen fraile (*friar*) Lorenzo, y él los casó (*married*). Después de la ceremonia, los novios (9. besarse) _____ apasionadamente. Por desgracia, Romeo tuvo que salir de Verona. Pero él y Julieta (10. escribirse) _____, y en sus cartas, planearon cómo iban a (11. verse) _____ otra vez.

Todos sabemos cómo termina la trágica historia de Romeo y Julieta. Lo único bueno de este doble suicidio fue la reconciliación de sus familias. Mientras lloraban, el padre de Romeo y el padre de Julieta (12. abrazarse) _____. Ellos (13. decirse) _____: «Nuestros hijos (14. quererse) _____ tanto. No seamos (*Let's not be*) enemigos más». Así ellos (15. prometerse) _____ ser amigos en el futuro, para siempre.

REPASO: CAPÍTULO 11

I. Vocabulario

A. ¿Cuál de las medicinas usas para los siguientes síntomas?

_____ 1. una fiebre   a. Visine

_____ 2. una tos   b. Tylenol

_____ 3. el mareo (_dizziness_)   c. Dristan

_____ 4. la indigestión   d. Hall's

_____ 5. un ataque de nervios   e. Dramamine

_____ 6. un dolor de garganta   f. Preparation H

_____ 7. los ojos irritados   g. Valium

_____ 8. la nariz congestionada   h. Maalox

                                           i. Robitussin

II. Gramática

A. <u>Verbos</u>. Read the passage about Raquel and Paco's date, and mark each verb in parentheses with **P** or **I** depending on the context. Then write the correct preterite or imperfect form of the correct Spanish verb. After completing the passage, answer the questions.

Cuando (1. _they arrived_ □ P □ I) _____ al restaurante, Raquel (2. _ordered_ □ P □ I) _____ una limonada porque (3. _she had_ □ P □ I) _____ muchísima sed. Después de servirle la limonada, el camarero les (4. _brought_ □ P □ I) _____ el menú. Paco no (5. _[didn't] know_ □ P □ I) _____ qué pedir porque no (6. _was familiar with_ □ P □ I) _____ el restaurante. El camarero les (7. _recommended_ □ P □ I) _____ el pollo con salsa mole, la especialidad de la casa, pero Raquel (8. _decided_ □ P □ I) _____ probar (_to try_) los camarones y Paco (9. _ordered_ □ P □ I) _____ las enchiladas.

Raquel y Paco (10. _waited_ □ P □ I) _____ media hora para su cena porque (11. _there were_ □ P □ I) _____ muchas personas en el restaurante. Paco (12. _was_ □ P □ I) _____ un poco nervioso, porque los dos (13. _were going_ □ P □ I) _____ al cine después y él no (14. _wanted_ □ P □ I) _____ perder parte de la película. Por fin (15. _arrived_ □ P □ I) _____ la cena. Todo (16. _was_ □ P □ I) _____ riquísimo. Cuando (17. _they finished_ □ P □ I) _____ de cenar, Paco le (18. _asked_ □ P □ I) _____ a Raquel si (19. _she wanted_ □ P □ I) _____ postre. Raquel (20. _said_ □ P □ I) _____ que (21. _she preferred_ □ P □ I) _____ tomar un helado después de la película. (22. _They paid_ □ P □ I)

_____ la cuenta y (23. *they walked* ☐ P ☐ I) _____ al cine, donde (24. *they were showing* / dar ☐ P ☐ I) _____ *The Forest.*

A Raquel le (25. *liked* ☐ P ☐ I) _____ la película pero (26. *she had* ☐ P ☐ I) _____ mucho miedo. (27. *She thought* ☐ P ☐ I) _____ que los actores (28. *were* ☐ P ☐ I) _____ excelentes, pero le (29. *told* ☐ P ☐ I) _____ a Paco que no (30. *she was going* ☐ P ☐ I) _____ a pegar ojo (*was going to sleep a wink*) en toda la noche por causa del miedo. Paco (31. *said* ☐ P ☐ I) _____ que (32. *it was* ☐ P ☐ I) _____ una película muy tonta y que él no (33. *had* ☐ P ☐ I) _____ miedo. Pero eso no (34. *was* ☐ P ☐ I) _____ cierto. ¡Cuando él (35. *returned* ☐ P ☐ I) _____ a casa, (36. *he spent* ☐ P ☐ I) _____ la noche entera con las luces de su habitación encendidas (*turned on*)!

<u>Preguntas.</u>

1. ¿Qué quería tomar Raquel antes de cenar, y por qué?

   _____

2. ¿Por qué tuvieron que esperar media hora para la cena?

   _____

3. ¿Qué quería hacer Raquel después de la película?

   _____

4. ¿El cine estaba lejos o cerca del restaurante?

   _____

5. ¿Cómo le pareció la película a Raquel? ¿Y a Paco?

   _____

6. ¿Qué hizo Paco después de volver a casa?

   _____

B. Acciones recíprocas. Beatriz, Mónica and Lupe are gossiping about past and present couples. Complete their conversation with the correct form of the verb in parentheses.

Beatriz: ¿Cuándo (1. conocerse) _____ Rafael y Silvia?

Mónica: Creo que el año pasado, en una boda (*wedding*).

Lupe: Sí. Fue cuando (2. casarse [*to get married*]) _____ Margarita y Ramón, ¿se acuerdan (*remember*) Uds.?

Mónica: Sí... Rafael y Silvia (3. verse) _____ por primera vez en la recepción. Mi amigo Lourdes dice que ellos (4. mirarse) _____ toda la noche. Por fin Rafael la invitó a bailar, pero estaban tan nerviosos que casi no (5. hablarse) _____.

Beatriz: Pues, cuando los veo ahora, siempre están (6. hablarse) _____, (7. abrazarse) _____ o (8. besarse) _____.

Lupe: Sí, están muy enamorados (*in love*). (9. Quererse) _____ mucho y creo que van a (10. casarse) _____ en octubre.

C. Los pronombres relativos. Complete the passage with the correct relative pronoun.

Mi gata, 1. _____ se llama Dafne, es muy cómica. 2. _____ me parece más cómico de ella es que piensa que es una tigresa o una leona. Pero en realidad, es una gatita joven y muy chiquita. A veces, Dafne hace cosas 3. _____ después resultan un poco complicadas. Por ejemplo, le fascinan las ardillas (*squirrels*) y siempre trepa los árboles (*climbs the trees*) detrás de mi casa. Pero las ardillas, 4. _____ son muy rápidas, se le escapan. Y Dafne, 5. _____ a veces trepa árboles muy altos, no puede bajarse fácilmente. ¡Pobre gatita! Mi esposo, 6. _____ juega con la gata mucho, dice que es muy inteligente. Y dos amigos míos, a 7. _____ no les gustan los gatos por lo general, creen que Dafne es una gata realmente excepcional.

III. Diálogo

You and two classmates are talking about what happened when you went to the health center (*centro de salud*) recently. Have a conversation in which you:

- each talk about the last time you were sick or hurt;
- say what happened when you went to the health center;
- say how you felt after they treated you.

_____

_____

_____

_____

_____

_____

_____

_____

_____

_____

GUIDED WRITING AND SPEAKING:
AYER EN EL CENTRO DE SALUD

A. Study the drawing and then work with a partner to form six questions about the people at the **Centro de Salud.** Use different question words for each person. Use your imagination and the vocabulary from this chapter and previous chapters.

1. _____

2. _____

3. _____

4. _____

5. _____

6. _____

B. Imagine you're an intern at the **Centro de Salud.** Write a 100-word report about what happened while you were on duty yesterday afternoon.

_____

_____

_____

_____

_____

_____

C. With a partner, role-play a dialogue between any two characters in the drawing.

BINGO: LA SALUD

lleva una vida tranquila.	quiere ser medico/a.	hace ejercicios aérobicos todos los días.	tiene un resfriado hoy.	come comidas sanas.
duerme ocho horas al día.	practica muchos deportes.	tiene dolores de cabeza frecuentemente.	necesita hacerse un chequeo pronto.	lleva gafas.
es alérgico/a a los perros.	tiene mucho miedo de las inyecciones.	camina a la universidad todos los días.	dejó de fumar el año pasado.	tiene una cita con el medico esta semana.
corre dos millas todos los días.	trabaja en una farmacia.	A ____ le gustaría ser enfermero/a.	siempre se enferma cuando viaja en coche.	quiere ser dentista.
A ____ le duele la garganta hoy.	A ____ no le gusta guardar cama.	está un poco congestionado/a.	tiene miedo de los dentistas.	no descansa lo suficiente.

COMMUNICATIVE GOALS PRACTICE #6

Try to talk about the scene below for 75 seconds. "Show off" all you have learned up to this point in the semester. Check the **Communicative Goals** boxes at the beginning of each chapter of your Supplement to see all that you should be able to do. For this oral proficiency practice, some of the possible topics are listed below. Try to use connectors (**porque, pero, y, también, por eso**) to make your description sound more fluent and natural.

1. Description (age, personality, physical appearance, clothing)
2. Likes and dislikes
3. What these people usually do on weekends
4. What they did last week
5. How they felt
6. Future plans

After you've finished your description, imagine you are talking to the characters in the drawing. Ask at least two questions of one or more characters.

CAPÍTULO
12

Communicative Goals for Chapter 12

By the end of the chapter, you should be able to:

- talk about technology ❏
- describe where you live ❏
- tell others what to do ❏
- express desires and requests ❏

Grammatical Structures

You should know:

- informal commands ❏
- use of the subjunctive for influence ❏

PRONUNCIACIÓN

- Mi madre manda que Marco no maneje más.
- Temo que Tomás Tamiami no tenga talento.
- Paco pide que Pepita no practique el piano porque papá está al punto de perder la paciencia.
- Queta quiere que Quique quite el quiosco que queda en la esquina.
- Recomiendo que Roberto Rodríguez regrese rápidamente a la residencia para la reunión.

LISTENING COMPREHENSION: UN APARTAMENTO NUEVO

You and your friend Diego are looking for a new place to live and Diego has just gone to look at an apartment. Listen to what he says about the place. On the left, list the apartment's good points; on the right, list the bad points.

Lo bueno:	Lo malo:
1.	1.
2.	2.
3.	3.

LISTENING COMPREHENSION: ¿SÍ O NO?

In Miguel's co-op, everyone usually shares duties. But during finals week, people are too busy to help out, so they all ask poor Miguel to fill in. Listen as your instructor reads the messages Miguel's housemates have left on his door. You will hear the messages twice. The first time you hear them, indicate whether Miguel's housemates are telling him to do or not to do the things in the list below. The second time you hear the messages, listen for the answers to the true-false questions below.

lavar los platos	Sí	No
ir a la biblioteca	Sí	No
preparar la carne	Sí	No
sacar la basura	Sí	No
pasar la aspiradora	Sí	No
ir al supermercado	Sí	No
olvidar la leche	Sí	No
llamar al técnico	Sí	No
pagarle al técnico	Sí	No
limpiar el baño	Sí	No

¿Cierto o falso?

1. ☐ C   ☐ F   Carmen necesita que Miguel lave los platos mañana.
2. ☐ C   ☐ F   Marta no pudo limpiar el baño esta tarde.
3. ☐ C   ☐ F   Víctor quiere que Miguel vaya al supermercado.
4. ☐ C   ☐ F   Víctor le pide que no olvide el helado.
5. ☐ C   ☐ F   Roque no quiere que Miguel prepare la carne hoy.

REFERENCE SHEET FOR COMMANDS

	FORMAL (UD./UDS.)		INFORMAL
hablar (-*ar* **verbs**)	hable no hable	hablen no hablen	habla no hables
comer (-*er* **verbs**)	coma no coma	coman no coman	come no comas
escribir (-*ir* **verbs**)	escriba no escriba	escriban no escriban	escribe no escribas
oír	oiga no oiga	oigan no oigan	oye no oigas
venir	venga no venga	vengan no vengas	ven no vengas
salir	salga no salga	salgan no salgan	sal no salgas
hacer	haga no haga	hagan no hagan	haz no hagas
decir	diga no diga	digan no digan	di no digas
dar	dé no dé	den no den	da no des
volver	vuelva no vuelva	vuelvan no vuelvan	vuelve no vuelvas

PRÁCTICA: INFORMAL COMMANDS

Your young nephew is visiting and wants to play with all your stuff. Answer his questions and explain what he can and cannot do in your house. Follow the cues in parentheses and use informal commands and object pronouns in your answer.

Modelo: ¿Puedo **poner** el radio? (Sí) → Sí, está bien. Ponlo si quieres.

                      ¿Puedo **usar** la cámara de video? (No) → No, no está bien. No la uses.

1. ¿Puedo **usar** la computadora? (No)

    _____

2. ¿Puedo **sacarte** una foto? (Sí)

    _____

3. ¿Puedo **poner** la tele (Sí)

    _____

4. ¿Puedo **grabar** este programa? (No)

    _____

5. ¿Puedo **poner** esta foto en Facebook? (Sí)

    _____

6. ¿Puedo **usar** tu cámara digital? (No)

    _____

7. ¿Puedo **apagar** el radio? (No)

    _____

8. ¿Puedo **sentarme** en tu coche? (Sí)

    _____

9. ¿Puedo dormirme con el gatito?

    _____

10. ¿Puedo **llevar** tu iPod? (No)

    _____

11. ¿Puedo **bajar** estos videos? (Sí)

    _____

12. ¿Puedo **leer** este fax? (Sí)

    _____

13. ¿Puedo **leer** tu correo electrónico? (No)

    _____

14. ¿Puedo **cambiar** el mensaje del contestador automático? (No)

    _____

15. ¿Puedo **mirar** estos videos? (Sí)

    _____

MANDATOS Y CONSEJOS

Are you good at giving advice and helping people with their problems? Work with a classmate to come up with some suggestions for people in one of the following situations. Write your suggestions in informal commands and use both affirmative and negative commands to give your advice.

┌─ Cómo ser un buen compañero / una buena compañera de cuarto ────────────────┐

Sí	No
1.	1.
2.	2.
3.	3.

└──┘

┌─ Cómo enseñar a tus abuelos a usar un iPhone ───────────────────────────────┐

Sí	No
1.	1.
2.	2.
3.	3.

└──┘

┌─ Cómo pasarlo bien en esta ciudad ──┐

Sí	No
1.	1.
2.	2.
3.	3.

└──┘

┌─ Cómo mantener una página impresionante en Facebook ────────────────────────┐

Sí	No
1.	1.
2.	2.
3.	3.

└──┘

THE SUBJUNCTIVE: AN OVERVIEW

Subjunctive sentence structure: Sentences with subjunctive have two clauses: an **independent clause** and a **dependent clause**, introduced by **que**.

/—Independent—/	/————————Dependent————————/
Yo recomiendo	que ella escriba la carta inmediatamente.
I recommend	*that she write the letter immediately.*

The verb in the dependent clause will be in the subjunctive if certain conditions are met.

Conditions for the use of subjunctive in Spanish:
1. The two clauses must have **different subjects**:

   (**Yo**) quiero que **ellos** estén contentos.
   I want them to be happy.

   If there is no change in subject, you will use an **infinitive**:   Quiero **estar** contenta.
   I want to be happy.

2. The verb in the **independent** clause must be in the **indicative** and express **willing/wish, emotion, request, doubt,** or **denial**. If that is not the case, the verb in the dependent clause must be in the indicative (even if the two clauses have different subjects).

Quiero que ellos **estén** contentos.	BUT	**Sé** que ellos **están** contentos.
Deseo que Guillermo me **bese**.	BUT	**Es cierto** que él me **besa** mucho.
Es horrible que **haya** cucarachas en casa.	BUT	**Creo** que **hay** muchas allí.

3. Generalizations that express **willing/wish, emotion, request, doubt,** or **denial** are followed by an infinitive. When one of these generalizations is personalized (made to refer to a specific person), it is followed by the subjunctive in the dependent clause.

Es necesario **matar** las cucarachas.	BUT	Es necesario **que Guillermo las mate**.
Es terrible **tener** cucarachas en casa.	BUT	Es terrible **que yo las tenga** en casa.

WEIRDO

Wish & Willing: desear, preferir, querer, necesitar, esperar

Emotion: esperar, gustar, sentir, temer, tener miedo de, sentir

Impersonal: es necesario, es terrible, es mejor, es peor, es bueno, es posible, es probable

Request & Recommendation: pedir, recomendar, decir, mandar, sugerir

Doubt & Denial: no creer, dudar, no estar seguro/a de, no pensar

Ojalá (*I hope*)

PRÁCTICA: EL SUBJUNTIVO

I. Complete the passages with the subjunctive, according to the subject.

1. Queremos que el profesor _____ (leer) los exámenes, que _____ (darnos) menos tarea, que _____ (ir) de vacaciones muy pronto y que _____ (explicarnos) el subjuntivo.

2. El profesor quiere que nosotros _____ (hablar) español, que _____ (estudiar) mucho, que _____ (practicar) en el laboratorio, que _____ (venir) a clase todos los días y que no _____ (dormir) en clase.

3. Si vienes a visitarme, te recomiendo que _____ (ir) al centro para ver los edificios bonitos, que _____ (visitar) los museos, que _____ (comer) en mi restaurante favorito, que _____ (hacer) una excursión al lago y que _____ (llevar) tu traje de baño.

4. Mis padres quieren que yo _____ (sacar) notas altas, que no _____ (salir) con muchachos locos, que _____ (buscar) un apartamento barato y que _____ (encontrar) un buen trabajo después de graduarme.

II. Now complete the following sentences. Remember that you will need to use the subjunctive. Try to give two or three possible completions for each sentence.

1. Quiero que mi mejor amigo/a _____.

2. Mi profesor(a) de español nos recomienda que _____.

3. Quiero que mis padres _____.

4. Quiero que el presidente _____.

5. Mis padres insisten en que yo _____.

6. Les recomiendo a mis amigos que ellos _____.

SUBJUNCTIVE WITH TÚ VS. TÚ COMMANDS

Don't forget that the forms used for the affirmative **tú** commands are not the same forms used in the subjunctive when **tú** is the subject. The negative **tú** commands, however, do use the same form as in the subjunctive.

Modelo: Te recomiendo que <u>vengas</u> ahora.   <u>Ven</u> ahora.
                                                        <u>No vengas</u> ahora.

<u>Subjunctive with **tú**</u>   **Tú** commands

1. Quiero que _____ (salir).   _____.

                                                    No _____.

2. Te recomiendo que _____ (comer) allí.   _____.

                                                    No _____.

3. Te recomiendo que lo _____ (hacer).   _____.

                                                    No _____.

4. Deseo que no _____ (ir) hoy.   _____.

                                                    No _____.

5. Quiero que lo _____ (comprar).   _____.

                                                    No _____.

6. Insisto en que _____ (buscar) trabajo.   _____.

                                                    No _____.

7. Es importante que _____ (pedir) ayuda con _____.
   tu página Web.

                                                    No _____.

8. No quiero que _____ (ver) esa película.   _____.

                                                    No _____.

9. Necesito que me _____ (traer) el libro.   _____.

                                                    No _____.

10. Prefiero que no lo _____ (poner) allí.   _____.

                                                    No _____.

SUBJUNCTIVE: ¿QUÉ ME RECOMIENDAS?

Your best friend seems to have a lot of problems lately. What can you recommend that he/she do to make things better? Write out a suggestion for each problem below, using **Te recomiendo que...** + subjunctive.

1. No tengo tiempo para hacer cosas divertidas.

   _____

2. No gano suficiente dinero para comprarme un nuevo iPhone.

   _____

3. No puedo recordar mis contraseñas.

   _____

4. No sé si debo crear una cuenta en Twitter.

   _____

5. Mis compañeros de cuarto nunca limpian la casa.

   _____

6. Siempre estoy muy cansado/a.

   _____

7. Estoy un poco gordo/a.

   _____

8. No entiendo cómo usar mi nueva cámara digital.

   _____

9. ¡Mi vida es aburrida!

   _____

10. Mi disco duro falló anoche.

    _____

PRÁCTICA: PRESENT, PRETERITE, SUBJUNCTIVE

Complete the chart, following the model in the first line.

Presente	Pretérito	Subjuntivo
1. Ellos dan una fiesta.	Ellos dieron una fiesta.	Quiero que ellos den una fiesta.
2. _____	Volví a casa.	Quieren que yo _____.
3. Él va al partido.	_____	Quiero que él _____.
4. _____	_____	Quiero que Uds. canten.
5. _____	Hicieron la tarea.	Quiero que ellos _____.
6. Lo explicamos.	_____	Quiere que nosotros _____.
7. _____	Pagué la cuenta.	Quieren que yo _____.
8. ¿Ayudas en casa?	_____	Recomendamos que tú _____.
9. _____	_____	Quieren que (yo) salga el lunes.
10. ¿Haces la tarea?	_____	Te recomiendan que _____.
11. _____	Leyeron el libro.	Quiero que Uds. _____.
12. _____	_____	Recomiendo que Uds. lleguen temprano.
13. Busca su tarea.	_____	Recomienda que él _____.
14. _____	Cambiaron el canal.	Quiero que Uds. _____.
15. _____	_____	No quiere que manejen en la lluvia.
16. _____	Compré otro acuario.	No quiere que yo _____.
17. Terminan todo.	_____	Recomiendo que ellos _____.
18. _____	_____	Queremos que Uds. esperen.

REPASO: CAPÍTULO 12

I. Vocabulario

A. Asociaciones. What words do you associate with the following items?

1. el iPod _____
2. el teléfono celular _____
3. el alquiler _____
4. la televisión _____

5. los vehículos _____
6. la residencia _____
7. el internet _____

B. Preguntas personales. Conteste con una oración completa.

1. ¿Qué tipo de computadora te gustaría comprar?

_____

2. En tu opinión, ¿cuáles son los aparatos que más necesita un estudiante universitario para su cuarto?

_____

3. ¿Cuáles son las ventajas de tener un teléfono celular?

_____

4. ¿Qué le recomiendas al profesor / a la profesora que haga este fin de semana?

_____

5. ¿Qué quieren tus padres que hagas este verano?

_____

6. ¿Dónde recomiendas que un(a) estudiante trabaje para ganar un poco de dinero?

_____

C. Definiciones

1. Una manera de mandar un documento instantáneamente: _____
2. El dinero que le pagas al dueño todos los meses: _____
3. Un tipo de red social profesional: _____
4. La persona que vive cerca de la casa de otra persona: _____
5. La persona que alquila apartamentos: _____
6. Lo que usamos si queremos cambiar de canal: _____
7. Lo que necesitas para sacar fotos: _____
8. Un aparato pequeño que se usa para manejar la computadora: _____
9. Lo que pasa cuando tu computadora deja de funcionar: _____

II. Gramática

A. <u>Mandatos informales</u>. Marina is homesick, stressed about her classes, and has no plans for the weekend. Give her advice about what to do and not to do using **tú** commands. Use six different verbs.

1. Marina, no _____

2. Marina, _____

3. Marina, no _____

4. Marina, _____

5. Marina, no _____

6. Marina, _____

B. <u>Subjunctive</u>. Give the **yo** form of the subjunctive for each of the verbs.

Modelo: decir → digø → diga

comenzar	_____	hablar	_____	poder	_____
comprender	_____	hacer	_____	practicar	_____
dar	_____	ir	_____	ser	_____
decir	_____	llegar	_____	tener	_____
escribir	_____	pagar	_____	venir	_____
estar	_____	pensar	_____	vivir	_____

C. <u>Más práctica con el subjuntivo</u>. Complete the sentences.

1. La profesora nos recomienda que _____.

2. Le recomendamos al profesor / a la profesora que _____.

3. Mi mejor amigo/a quiere que (yo) _____.

4. Quiero que mi mejor amigo/a _____.

5. Mi familia desea que yo _____.

6. Deseo que mi familia _____.

D. ¿<u>Subjuntivo, indicativo o infinitivo</u>? Complete each sentence with the correct form of the verb in parentheses.

1. Mis padres me recomiendan que (yo) _____ (regresar) a casa este verano, pero no quiero _____ (vivir) con ellos.

2. La profesora no permite que los estudiantes _____ (hablar) inglés.

3. Es necesario que Uds. _____ (buscar) trabajo. Necesitan _____ (ganar) dinero. Sin un trabajo bueno, dudo que Uds. _____ (poder) pagar la matrícula.

4. Creo que mi novio _____ (estar) en casa ahora.

5. Mis amigos prefieren que (yo) _____ (salir) con ellos esta noche.

6. Es ridículo que nosotros _____ (tener) que aprender todos los verbos.

7. Mis amigos dicen que el profesor _____ (ir) a dar una fiesta muy pronto.

E. <u>Más práctica</u>. Exprese en español.

1. I want you (**tú**) to open the computer file. Open it.

_____

2. I don't want you (**tú**) to read your emails in class. Don't read them.

_____

3. I want you (**Ud**.) to study that webpage. Study it now.

_____

4. The passwords? I want you (**Uds**.) to write them here. Write them here, please.

_____

5. The rent? I recommend that you (**Uds**.) pay it. Pay it today.

_____

BINGO: LA CALIDAD DE LA VIDA

vive en una residencia.	quiere comprar una cámara digital.	**A** no le gusta tener varias contraseñas	tiene una camioneta vieja y fea.	no tiene un iPod.
tiene vecinos guapos.	quiere mudarse.	tiene un radio en el baño.	vive en la planta baja.	manda más de 30 tuits al día.
opina que Facebook es aburrido.	da muchas fiestas en su casa.	pierde el control remoto a veces.	**A** le gusta ver videos.	trae su portátil a clase.
cambia de canal constantemente.	**A** le gustaría tener un apartamento más grande	va a clase en bicicleta.	vive cerca de una parada de autobús o metro.	no sabe dónde está su celular.
tiene un ascensor donde vive	ya pagó el alquiler este mes.	necesita buscar un trabajo.	saca muchas fotos tipo *selfie*.	está en Facebook todos los días.

GUIDED WRITING AND SPEAKING: UNA CASA NUEVA

A. Your parents just moved to this neighborhood and you are spending the summer with them. Study the drawing and then work with a partner to form six questions about your parents' new neighbors and neighborhood. Find a new partner to answer your questions. Use your imagination and the vocabulary from Chapter 12 and previous chapters.

1. _____

2. _____

3. _____

4. _____

5. _____

6. _____

B. You're at your parents' new house, but you really don't like the house, neighbors, or neighborhood. Write an e-mail to a friend, describing the situation and explaining where you want to live in the fall. Also mention what electronic equipment you hope your parents buy for your new apartment.

C. With a partner, role-play a dialogue between any two characters in the drawing.

DIÁLOGOS

With a classmate, write a short dialogue based on one of these situations. Use the cues as a guide. Be prepared to role-play your dialogue with your partner for the class.

1. **Un apartamento.** You and your friend want to rent an apartment together next year. With your friend,

- discuss what part of town you each prefer to live and why;
- describe your ideal apartment and explain how much you can pay in rent;
- talk about what you hope your parents will buy for the apartment.

_____

_____

_____

_____

2. **Electrónica nueva.** Your parents are about to update their electronic equipment, and have asked for your advice. With your mom or dad,

- ask what they want to buy and how much they have to spend;
- explain what equipment you recommend they buy (computer, TV, digital camera, etc.);
- suggest that they buy you new equipment too.

_____

_____

_____

_____

Expresiones útiles

Para mí...	Piénsalo. (*Think about it.*)
Lo importante es...	En ese caso...
El problema es que...	¿Por qué no...?
¿Cómo lo ves? (*What do you think?*)	¿Sería posible + *inf.*? (*Would it be possible to . . .?*)
Fenomenal./Bárbaro.	¿En serio?
No importa. (*It doesn't matter.*)	Por otro lado...

COMMUNICATIVE GOALS PRACTICE #7

Try to talk about the scene below for 75 seconds. "Show off" all you have learned up to this point in the semester. Check the **Communicative Goals** boxes at the beginning of each chapter of your Supplement to see all that you should be able to do. For this oral proficiency practice, some of the possible topics are listed below. Try to use connectors (**porque, pero, y, también, por eso**) to make your description sound more fluent and natural.

1. Description (age, personality, physical appearance, clothing)
2. Likes and dislikes
3. What these people usually do on weekends
4. What they did last week
5. How they felt
6. Future plans
7. What Ana wants Julio to do instead of checking his e-mail and watching TV all of the time. (subjunctive)

After you've finished your description, imagine you are talking to one of the characters in the drawing. Ask at least two questions of one or more characters.

CAPÍTULO
13

Communicative Goals for Chapter 13
By the end of the chapter, you should be able to:

- talk about the arts and culture ☐
- express emotions ☐
- express disbelief and doubt ☐
- rank things ☐

Grammatical Structures
You should know:

- use of subjunctive for emotions ☐
- use of subjunctive for uncertainty ☐
- ordinal numbers ☐

LISTENING COMPREHENSION:
¿QUÉ DEBEN HACER ESTAS PERSONAS?

Listen as your instructor describes the interests of five different people. Based on what you hear, indicate which cultural activity would be the best for each person in the chart below. Explain why you recommend that activity as well.

Actividad	Persona	¿Por qué?
Viajar a Chichén Itzá para ver los templos de los mayas		
Visitar Londres y asistir a varias obras de teatro		
Conseguir entradas (*tickets*) para la opera		
Viajar a Barcelona y conocer los edificios extraordinarios de Antoni Gaudí		
Hacer un viaje a Guatemala para comprar tejidos		

LISTENING COMPREHENSION: ¿ADÓNDE FUERON Y QUÉ HICIERON?

Your instructor will read some descriptions of what six different people did on vacation. As you listen, complete the chart below by writing the name of each person next to the place he/she visited on vacation. Then write one thing the person did in that place.

Lugar	¿Quién fue allí?	¿Qué hizo allí?

PRONUNCIACIÓN: LAS VOCALES

A: cantar—bailar—Me encanta cantar y bailar.—hay—entradas—drama—tarde—¿Hay entradas para el drama esta tarde?—clase—arte—sala—Hay una clase de arte en la sala grande.—encanta—cerámica—España—Me encanta la cerámica de España.—cantante—está—lado—escenario—La cantante está al lado del escenario.

E: lee—novela—moderna—Pepe lee novelas modernas.—cree—orquesta—talento—¿Crees que esa orquesta tiene talento?—tejer—tela—guatemalteca—Las mujeres tejen unas telas guatemaltecas.—merengue—caribeño—El merengue es caribeño.—estrella—escena—agente—La estrella lee la escena tres con el agente francés.

I: artista—pinta—pincel—finísimo—El artista pinta con un pincel finísimo.—cine—Fuimos al cine.—guía—dice—Dalí—símbolos—difíciles—El guía dice que Dalí incluye símbolos difíciles en sus pinturas.—ritmo—baterías—disco—increíble—El ritmo de las baterías de este disco es increíble.—Conocimos—artista—galería—Conocimos al artista Aníbal en la galería.

O: pintor—odia—color—El pintor odia los colores oscuros.—toca—saxofón—trombón—Manolo toca el saxofón y el trombón.—conoces—historia—folclóricos—¿Conoces la historia de los bailes folclóricos españoles?—director—español—famoso—Almodóvar es un director español famoso.—obra—compositor—innovador—La obra del compositor es muy innovadora.

U: música—gusta—¿Te gusta la música?—músicos—conjunto—buscan—instrumentos—Los músicos del conjunto buscan sus instrumentos.—museo—aburre—Úrsula—El museo le aburre a Úrsula.—burla—escultura—Se burla de la escultura.—gustan—Me gustan la arquitectura y la literatura.

WEIRDO

(When to use the subjunctive)

Use the subjunctive in the dependent clause when the main clause expresses:	Examples of verbs:	Example sentences:
WILL / WISH	querer, desear, preferir, insistir, necesitar	Quiero que <u>estudies</u>. Necesito que <u>vayas</u> a la tienda.
EMOTION	esperar, sentir, alegrarse de, me gusta que	Siento que <u>estés</u> enfermo. Me alegro de que <u>estés</u> aquí.
IMPERSONAL EXPRESSIONS	es necesario es importante	Es importante que <u>hables</u> con nosotros.
REQUESTS/ RECOMMENDATIONS	pedir, decir, mandar, ordenar, prohibir, permitir, exigir, recomendar, sugerir	Me pide que <u>venga</u>. Nos manda que <u>salgamos</u>. Te dice que <u>vayas</u>. (*require indirect object pronoun*)
DOUBT / DENIAL	dudar, negar, no creer	Dudo que <u>conozcas</u> a David Letterman.
OJALÁ (*I hope*)	ojalá	Ojalá que el examen <u>sea</u> muy fácil.

EL SUBJUNTIVO: FRASES INCOMPLETAS

What do these different groups of people want from and expect of each other? Complete the sentences using the verb in parentheses in the indicative or subjunctive according to the context.

En clase

1. La profesora insiste en que la clase (estudiar) _____.

2. Ella cree que los estudiantes no (aprender) _____.

3. Los estudiantes recomiendan que ella (tener) _____.

4. Algunos estudiantes dicen que la materia (ser) _____.

5. Es verdad que la profesora les (dar) _____.

6. A ella no le gusta que los estudiantes no (hacer) _____.

En una fiesta

7. Los muchachos piensan que la fiesta (ser) _____.

8. A los vecinos no les gusta que la gente (hacer) _____.

9. Marta y Lupe dudan que la música (ser) _____.

10. Miguel espera que Carmen (bailar) _____.

11. Soledad teme que los otros invitados (ir) _____.

12. Y yo creo que la policía (llegar) _____.

Un apartamento nuevo

13. A Beatriz le gusta mucho que su apartamento (estar) _____.

14. Prefiere que el vecino de arriba no (tocar) _____.

15. Duda que la piscina (estar) _____.

16. Es una lástima que la alfombra (ser) _____.

17. Espera que sus amigos le (ayudar) _____.

18. No cree que la cocina (tener) _____.

¿SUBJUNTIVO O INDICATIVO?

Complete the sentences with the correct form of the verb according to the context.

1. Verónica, quiero que tú (casarse) _____ conmigo inmediatamente.

2. Pero Alejandro, no puedo. No creo que (ser - tú) _____ el hombre para mí.

3. Es imposible que no (estar - tú) _____ enamorada de mí, Verónica.

4. Sí, es verdad que te (quiero - yo) _____, Alejandro.

5. Pero también es verdad que (tener - yo) _____ otro amor.

6. ¡OTRO AMOR! ¡IMPOSIBLE! Insisto en que me (decir - tú) _____ quién es.

7. No puedo, Alejandro. Él insiste en que nadie (saber) _____ de nuestro amor.

8. Verónica, sé que (ser - tú) _____ una chica muy inestable. Pero no importa. Te quiero y quiero que (pasar - nosotros) _____ el resto de nuestra vida juntos.

9. Alejo, te digo que eso (ser) _____ imposible. Es necesario que (olvidarse - tú) _____ de mí y que (buscar) _____ otra mujer.

10. Pero Verónica, las otras mujeres no existen para mí. Sé que no (poder - yo) _____ estar contento si no estoy contigo.

11. De verdad lo siento, Alejo. Es una lástima que (estar - tú) _____ tan enamorado de (in love with) mí.

12. Verónica, quiero que (pensar - tú) _____ muy bien en lo que haces. ¿Realmente quieres que nosotros (separarse) _____?

13. Sí, Alejo. Creo que eso (ser) _____ lo mejor. Pero espero que (ser - nosotros) _____ buenos amigos para siempre. Y yo estoy segura que (ir - tú) _____ a encontrar a una mujer estupenda en el futuro.

14. ¡Y yo estoy seguro que no (ir - yo) _____ a entender nunca a las mujeres!

PRÁCTICA: EL SUBJUNTIVO Y LAS EMOCIONES

Look at each drawing and read about each person's situation. Then write two sentences expressing your emotional reaction to each situation using the expressions below.

| Espero / Temo / Lamento / Me alegro de / Siento que... |
| Me preocupa / Me molesta / Me sorprende que... |
| Es absurdo / mejor / increíble / terrible / bueno / una lástima que... |

A.

A Daniel no le gusta viajar en aviones pequeños.

1. _____

2. _____

B.

Érica no tiene hambre, pero su madre insiste en que coma.

1. _____

2. _____

C.

Jorge hace auto-stop, pero no tiene mucha suerte.

1. _____

2. _____

D.

Alina ha asistido (*has attended*) a tres conciertos en tres días. La música es muy fuerte y le duele la cabeza.

1. _____

2. _____

SUBJUNCTIVE OF DOUBT AND DENIAL

Are you suspicious of anything or anybody? Do you think that something is absolutely true? Complete these sentences based on your own opinions, then see if you and your classmates have the same opinions.

1. Dudo que _____,

   pero no dudo que _____.

2. Es verdad que _____,

   pero no es verdad que _____.

3. Estoy seguro/a que _____,

   pero no estoy seguro/a que _____.

4. No creo que _____,

   pero creo que _____.

5. Niego que _____,

   pero no niego que _____.

6. No es cierto que _____,

   pero es cierto que _____.

7. Pienso que _____,

   pero no pienso que _____.

SUBJUNCTIVE TRIGGER PHRASES

Es increíble que	Espero que	Creo que
Dudo que	Recomiendo que	Temo que
Ojalá que	No me gusta que	Es mejor que
Es verdad que	No creo que	Pienso que

Complete each sentence with an appropriate clause or phrase so that the sentence is logical. Make sure to read each sentence carefully to see if a subjunctive "trigger phrase" is needed or not.

1. _____ los museos estén cerrados los lunes.

2. _____ podemos volver a este museo mañana.

3. _____ tengamos tiempo de ir al concierto.

4. _____ las entradas (tickets) para el concierto son caras.

5. _____ la música folclórica es muy interesante.

6. _____ tú tengas el talento necesario para ser actor.

7. _____ la arquitectura de Barcelona es extraordinaria.

8. _____ Ud. vaya a España y vea los cuadros de Goya.

9. _____ la literatura sea más importante que la música.

10. _____ Juan Luis Guerra no cante en Madrid este año.

11. _____ Juan viaje a México para ver las ruinas.

12. _____ Juan tenga bastante dinero para ir a México.

13. _____ él va a hacer un viaje a Guatemala también.

14. _____ compre unos tejidos guatemaltecos.

15. _____ los tejidos de Guatemala son preciosos.

PREPOSITIONS AND INFINITIVES

No preposition (conjugated verb + infinitive):

deber	gustar	poder	
decidir	necesitar	preferir	Ellos **esperan viajar** a España.
desear	parecer	querer	Él **sabe conducir** bien.
esperar	pensar	saber	

a (conjugated verb + **a** + infinitive):

aprender a	empezar a	ir a	Espero que Alejo **vuelva a escribirme**.
ayudar a	enseñar a	venir a	Por favor, ¡**ayúdame a estudiar**!
comenzar a	invitar a	volver a	

de (conjugated verb + **de** + infinitive):

acabar de	dejar de	tener ganas de	Es necesario que **dejes de fumar**.
acordarse de	olvidarse de	tratar de	¿Por qué **te olvidaste de llamarme** ayer?

en	insistir en + infinitive:	¿Por qué **insisten Uds. en ir** ahora?

que	haber que + infinitive:	**Hay que viajar** para ver cosas nuevas.
	tener que + infinitive:	**Tenemos que darle** un regalo bonito.

Práctica. Complete the sentences with the missing preposition. If no preposition is needed, write X in the blank.

1. Me gustaría aprender _____ bailar el tango.

2. Picasso empezó _____ dibujar y pintar cuando era muy joven.

3. Hay _____ practicar todos los días para ser buen músico.

4. Trato _____ leer una novela o un libro de poesía todos los meses.

5. Esta noche, tengo ganas _____ ir al cine. ¿Y tú?

6. Pienso _____ visitar las ruinas mayas algún día.

7. Luis me invitó _____ ver la exposición de arte.

8. Marisa parece _____ cantar muy bien.

9. Acabo _____ escuchar un disco nuevo.

10. Prefiero _____ ir al concierto con Uds.

REPASO: CAPÍTULO 13

I. Vocabulario

A. Complete the sentences logically with the words from Chapter 13 in *Puntos*.

1. El año pasado visitamos las _____ de Machu-Picchu. La _____ de los Incas es impresionante.

2. En el mercado de _____, se puede comprar muchas cosas: ropa, _____ típica y también _____ preciosos de todos los colores.

3. Esta noche, voy a la _____ para ver *La traviata*. El _____ de esta obra fue Verdi. Los _____ principales son de Alemania e Italia.

4. Ayer visitamos el Museo Metropolitano. En la Sala de los Impresionistas, vimos varias _____ de los grandes _____ del impresionismo. Me encanta la _____ impresionista.

B. Asociaciones. Name a person, place, and thing that you associate with the following.

	persona	lugar	cosa
la pintura			
la música clásica			
la literatura			
el drama			

II. Gramática

A. El subjuntivo. What are the six components of WEIRDO? Give two to three sample verbs, then write one Spanish sentence for each letter.

W

_____

E

_____

I

_____

R

_____

D

_____

O

_____

B. <u>Doubt, denial, and uncertainty</u>. Which phrases below "trigger" the subjunctive, and which don't? Write "S" for subjunctive and "I" for indicative to the left of each phrase below, and then write sentences using six of the phrases.

1. _____ No estar seguro/a que

2. _____ No negar que

3. _____ Dudar que

4. _____ Creer que

5. _____ Estar seguro/a que

6. _____ No es verdad que

7. _____ No creer que

8. _____ No pensar que

9. _____ Es probable que

10. _____ No dudar que

11. _____ Es verdad que

12. _____ Negar que

1. _____

2. _____

3. _____

4. _____

5. _____

6. _____

C. <u>¿Subjuntivo o indicativo?</u> Complete the sentences with the subjunctive or indicative, according to the context.

<u>Ana asiste a un concierto</u>

1. Ana teme que ya no (haber) _____ entradas para el concierto.

2. Su amigo le recomienda que (ir) _____ al teatro para ver.

3. Él piensa que Ana todavía (poder) _____ conseguir entradas.

4. En el teatro, le dicen a Ana que (volver) _____ al día siguiente.

5. Ana está segura que el concierto (ir) _____ a ser fabuloso.

<u>Nuestra clase de español</u>

6. Es increíble que nuestro examen final _____.

7. Estamos seguros que la profesora _____.

8. Después del examen final, recomiendo que nosotros _____.

9. Espero que mi próxima clase de español _____.

D. <u>Una tarde en el Jardín de la Unión en Guanajuato, México</u>. Complete the following sentences based on the drawing below. Try to use the new vocabulary from Chapter 13.

1. Espero que Xochi _____

2. Me gusta que _____

3. Recomiendo que los novios _____

4. Diego quiere que _____

5. Es importante que Ernesto _____

6. A los turistas les gusta que _____

7. Creo que _____

8. Es fantástico que la estudiantina _____

9. Dudo que _____

10. Ojalá que _____

E. <u>Los jefes</u>. Complete each passage with the correct form of the subjunctive or indicative.

1. Hoy hay una enorme venta en el almacén Sears. El director del almacén, Mario Benítez, espera que muchas personas (venir) _____ a comprar miles de cosas y por eso los precios son muy bajos. Para darles una buena impresión a los clientes, Mario insiste en que todos los empleados (vestirse) _____ bien y no les permite que (fumar) _____ durante las horas de trabajo. Él dice que los buenos empleados (tener) _____ la oportunidad de recibir un «bonus» si todo va bien. A muchos de los empleados no les gusta que Mario (ser) _____ tan estricto pero saben que (ser) _____ necesario. Es evidente que Mario (tomar) _____ en serio su trabajo. Pero muchos creen que Mario (ser)

_____ demasiado nervioso para ser un buen director. Él dice que es importante que todos (vender) _____ mucho porque vendieron muy poco en la venta de liquidación en enero. ¡Ojalá que (salir) _____ bien esta venta!

2. Mi amiga Juanita siempre dice que su vida (ser) _____ muy difícil. Y es verdad... La pobre trabaja con un jefe horrible, un hombre que se llama Lorenzo. Lorenzo es un idiota. Es increíble que alguien tan estúpido (ganar) _____ tanto dinero y (tener) _____ un puesto tan importante. A Juanita no le gusta que Lorenzo (tratar) _____ tan mal a los empleados. Nunca les dice «Por favor» cuando quiere que (hacer - ellos) _____ algo. Siempre cambia de idea (_changes his mind_), pero después dice que sus empleados no (entender) _____ nada. Juanita quiere _____ encontrar otro trabajo... ¡qué lástima que la situación económica (estar) _____ tan mala en estos días! Espero que ella (poder) _____ buscar un nuevo puesto pronto, porque sé que Lorenzo no (ir) _____ a cambiar nunca.

III. Diálogo

Write a dialogue based on the following situation. Be prepared to role-play your dialogue with a partner to the class.

You were supposed to go hear a friend's concert but you didn't arrive until after it was over. Write a dialogue between you and your friend in which you:

- express your regrets (using the subjunctive of emotion), and
- explain three things that happened to make you late.

_____

_____

_____

_____

_____

_____

_____

_____

_____

_____

SONDEO: LAS ARTES

Poll three classmates to find out their artistic likes and dislikes, and write down the information you find in the chart below.

	Nombre:	Nombre:	Nombre:
Su actor favorito es...			
La novela que más le gusta es...			
Tiene muchos discos de...			
Su pintor preferido es...			
Sabe tocar el/la...			
Cuando va al cine, prefiere ver...			
El programa de televisión que más odia es...			
Su museo favorito se llama...			

Now, complete these statements comparing your tastes with that of your classmates, based on what you've learned.

1. Tengo mucho en común con _____, porque...

   _____

2. _____ y yo no tenemos mucho en común, porque...

   _____

BINGO: LA VIDA CULTURAL

_____ toca un instrumento.	_____ tiene tejidos de Centroamérica.	_____ odia la ópera.	A _____ le gusta dibujar.	A _____ le gusta la música clásica.
_____ sabe cantar bien.	_____ escribe poesía.	_____ tiene una clase de literatura.	_____ trabaja en un museo.	_____ estudia arquitectura.
_____ quiere ser director de cine.	_____ toma una clase de arte.	A _____ le encanta el cine.	_____ canta muy mal.	_____ quiere ser actor/actriz.
_____ visitó unas ruinas aztecas.	A _____ le aburre el ballet.	_____ aprecia la música caribeña.	A _____ le gustaría ser pintor.	_____ escribe canciones.
_____ quiere ser músico/a profesional.	De niño/a, _____ quería ser bailarín/ bailarina.	_____ acaba de leer una novela estupenda.	_____ sabe bailar muy bien.	_____ conoce a un actor famoso.

ROUND ROBIN: GRAMMAR MONITOR ACTIVITY

In this activity you will work in groups of three. Each partner will alternate roles until all three of you have (1) reacted to each statement; (2) made a recommendation; and (3) served as the grammar monitor.

Marco tiene una
nueva novia.

Las señoras piensan que
sus hijos son angelitos.

Paco siempre llega
tarde a la oficina.

Partner A: Read the statement aloud, then give your reaction using an impersonal expression such as **Es terrible que...**, **Es obvio que...**, or **Es fenomenal que...**

Partner B: Offer a suggestion or recommendation to help improve the situation.

Partner C: As the grammar monitor, your job is to write down the subjunctive verb forms that you hear. Make sure that subjunctive is not used with expressions indicating certainty such as **Es evidente que... Es cierto que...**, or **Es verdad que...** When Partners A and B are finished, give them feedback on whether or not they are using the subjunctive correctly for reactions and recommendations.

Now switch roles. Partner A will recommend, Partner B will be the grammar monitor and Partner C will react. Then switch roles one more time.

GUIDED WRITING AND SPEAKING:
PLANES PARA EL FIN DE SEMANA

A. Using the drawing and your imagination, answer the following questions in complete Spanish sentences. Pay careful attention to the way the questions are phrased in order to use the correct structures in your answers.

1. At what time does Ana's boyfriend want her to be ready for the concert tonight?
2. What did he invite her to do last weekend?
3. What do you recommend that she wear to the concert?
4. What does Antonio feel like doing this weekend? Why?
5. Is it bad that he plays video games all the time?
6. What cultural events does Antonio's mother want him to go to?
7. Why do you doubt that Antonio wants to go to see the sculptures in the Museum of Modern Art?
8. What did Antonio and Ana's parents do last weekend when they went to New York?
9. What did their mother want to be when she was young? Why didn't she end up doing that?
10. Why does his mother hope that Antonio will take photography classes?

B. Write a paragraph about Antonio and what you recommend he do to lead a healthier and more balanced (**equilibrada**) life.

C. With a partner, role-play a dialogue between any two characters in the drawing.

KEY LANGUAGE FUNCTIONS: DESCRIPTION, COMPARISON, EXPRESSING LIKES AND DISLIKES, NARRATION IN THE PAST, REACTION AND RECOMMENDATION

The chart below shows the linguistic tools needed to perform these five key language functions.

DESCRIBIR D	To construct a description	→ Vocabulary →	Linguistic Tools Needed: • **ser** vs. **estar** • noun-adjective agreement
COMPARAR C	To construct a comparison	→ Vocabulary →	Linguistic Tools Needed: • noun-adjective agreement • **más/menos... que** • **tan... como** • **tanto/as/os/as... como**
GUSTOS G	To construct a statement of likes and dislikes	→ Vocabulary →	Linguistic Tools Needed: • **Gustar**-type constructions • Indirect object pronouns
PASADO P	To construct a description in the past or narrate a series of past events	→ Vocabulary →	Linguistic Tools Needed: • Preterite vs. imperfect
REACCIONAR RECOMENDAR R	To construct a reaction or recommendation	→ Vocabulary →	Linguistic Tools Needed: • Subjunctive in noun clauses • Commands

Take turns with a partner talking about the following topics. Remember to pay attention to the linguistic tools (the grammar rules) you need to express these key language functions accurately.

- Describe one of the paintings in your textbook.
- Describe the neighborhood where your parents live.

- Compare suburban living and downtown living.
- Compare Facebook and Twitter.

- Tell what young people like about cell phones and what bothers older people about them.
- Tell what bothers some people about rap music or modern art.

- Describe something embarrassing that happened to you when you were in high school.
- Describe a fun job you or one of your friends had in the past.

- Offer a recommendation to a person who wants to be a famous actor/actress.
- Offer your advice to a freshman who wants to move from the dorms to an apartment.

CAPÍTULO
14

Communicative Goals for Chapter 14

By the end of the chapter, you should be able to:

- talk about accidents, injuries and problems ❏
- tell how long something has been happening or how long ago something happened ❏
- talk about how things are done ❏

Grammatical Structures

You should know:

- **hace...que** ❏
- **se** + indirect object pronoun ❏
- **por y para** ❏
- adverbs ❏

PRONUNCIACIÓN

A. Listen carefully and repeat the following sound groups after your instructor.

1. **llamo**	**lleno**	**lligues**	**lloro**	**lluvia**
2. **yace**	**yeso**	**yi**	**yoyo**	**yunque**
3. **padre**	**peso**	**piña**	**poco**	**puso**
4. **cada**	**queque**	**quita**	**coco**	**cuna**
5. **hado**	**hecho**	**hipo**	**hombre**	**humo**
6. **zaga**	**cebra**	**cima**	**zopo**	**zurdo**
7. **dado**	**dedo**	**dido**	**dodo**	**dudo**

B. Practice these sentences with a partner.

1. Yolanda Illade llevó una blusa amarilla al castillo.

2. Paula puso pocas papas en la parrilla porque su papá las puso en la tortilla ayer.

3. La duquesa quiere quinientos quesos del quiosco de Quique.

4. Ibiza es una isla sin ninguna zona sucia.

5. Ahora hay hasta veinte huéspedes en este hotel hondureño que quieren hielo en sus habitaciones dentro de una hora.

6. David duda que el dentista dañés haya descansado después de haber sacado los dos dientes de Daniel Dorado.

LISTENING COMPREHENSION:
ACCIDENTES Y PROBLEMAS INESPERADOS (*UNEXPECTED*)

You will hear a series of short passages about the people in the drawings. The first time you listen, identify each person or group by writing their names next to the corresponding drawing. The second time, listen for the details you need to correct the false statements below.

Now correct these statements based on what you hear.

1. Pedro tiene una cita con el dentista esta tarde.

    _____

2. La fecha límite para el proyecto de Pedro fue ayer.

    _____

3. Los hijos de Cristina no se olvidaron de su cumpleaños.

    _____

4. Jorge siempre tiene mucho cuidado en la cocina.

    _____

5. A Fernanda y Juan se les perdieron sus jerseys en la playa.

    _____

6. Isa odia su trabajo, y va a buscar otro muy pronto.

    _____

7. Roberto no sabe qué decir porque llegó muy tarde a la fiesta.

    _____

PRÁCTICA: ¿CUÁNTO TIEMPO HACE QUE...?

To express ...	Use ...
An ongoing action in the present	**Hace** + period of time + **que** + present tense Present tense + **desde hace** + period of time
How long ago something happened	**Hace** + period of time + **que** + preterite *OR* Preterite + **hace** + period of time

I. Ongoing actions. First, complete the chart below with the number of years the actions listed have been ongoing in your life. Then write a sentence about these actions, using a time expression with **hace**.

Acción	¿Cuántos años?	Oración
tener un perro o un gato	5 años	Tengo un gato desde hace cinco años.
ser estudiante		
saber leer		
estudiar español		
vivir en esta ciudad		
conocer a mi mejor amigo/a		
practicar mi deporte favorito		

II. Past actions. Now, complete the second chart saying when the actions listed last occurred. Then write a sentence about each, using **hace... que**.

Acción	¿Cuándo?	Oración
cenar en un restaurante	el mes pasado	Hace un mes que cené en un restaurante. (Cené en un restaurante hace un mes.)
ver a mis padres		
tener una cita		
ir a la playa		
hacer un viaje		
dar una fiesta		
estar enfermo/a		

UNEXPECTED / UNPLANNED EVENTS WITH *SE*

Complete the chart below with the sentences at the bottom, following the model.

Modelo: I forgot my homework.   A mí se me olvidó la tarea.

↓—SAME PERSON—↓

	A + noun or pronoun	se	indirect obj. pronoun	verb	subject
EX	*A mí*	*se*	*me*	*olvidó*	*la tarea*
1					
2					
3					
4					
5					
6					
7					
8					
9					
10					

Translate the following sentences, and fill in the chart above.

1. Ana broke the plates.
2. They lost their keys.
3. Bill ran out of money.
4. We forgot our passports.
5. Marta dropped the eggs.
6. José always forgets my name.
7. Sara and Laura left the dog at home.
8. Yolanda forgot my phone number.
9. We left the tickets at home.
10. They ran out of champagne.

SE FOR UNPLANNED EVENTS

A. Complete each sentence with the most logical verb from the list below, using the **se** for unplanned events. Each verb will be used only once. One will not be used.

acabar	caer	perder	quedar	olvidar	romper

1. Jaime tiene sueño porque esta mañana _____ _____ _____ el café. Ahora necesita comprar más.

2. Ayer me dormí en clase y _____ _____ _____ el libro. ¡Qué ruido!

3. No pudimos entrar en el concierto porque _____ _____ _____ las entradas (*tickets*) en casa. ¡Qué lástima!

4. ¡Qué torpe eres! Anoche _____ _____ _____ todos los vasos. Debes tener más cuidado al lavar los platos en el futuro.

5. A Miguel y Pablo _____ _____ _____ las llaves del apartamento; al final, tuvieron que llamar al dueño para abrir la puerta.

B. Answer the following questions using the **se** construction for unplanned events.

1. ¿Qué le pasó a Jorge? (perder / cartera)

   _____

2. ¿Por qué te llamó por teléfono tu hijo anoche? (acabar / dinero)

   _____

3. ¿Por qué no trajeron Uds. el almuerzo al picnic? (olvidar / comida)

   _____

4. ¿Por qué está triste la camarera? (romper / los platos y vasos)

   _____

5. ¿Por qué están sucios los libros de María? (caer al suelo)

   _____

6. ¿Por qué no entras en la casa? (quedar / la llave en el coche)

   _____

7. ¿Qué le pasó a Ricardo? (romper / una pierna)

   _____

8. ¿Qué le pasó a Milagros? (olvidar / los libros)

   _____

9. ¿Por qué no hay leche en tu refrigerador? (olvidar / comprarla)

   _____

PRÁCTICA: ¿QUÉ TIENEN? ¿QUÉ LES PASÓ?

Explain what's wrong with or what happened to these people. Use the verbs on p. 419 of *Puntos* to write a sentence or two about each person's problem. Use the **se** construction for unplanned events when appropriate.

el florero – flower pot

1. _____

2. _____

3. _____

4. _____

5. _____

PRÁCTICA: *POR VS. PARA*

A. Read the following sentences and study the context of the underlined words. Decide if the word(s) would be expressed by **por** or **para** in Spanish.

1. I'll send it to you <u>by</u> (□ por □ para) Federal Express. It should arrive <u>by</u> (□ por □ para) tomorrow morning.

2. Flowers? <u>For</u> (□ por □ para) me? Thanks so much <u>for</u> (□ por □ para) them!

3. He was headed <u>for</u> (□ por □ para) the border when I last saw him.

4. "The Gulf Coast is a great place <u>for</u> (□ por □ para) swimming."

   "As <u>for</u> (□ por □ para) me, I like the Caribbean better."

5. He works <u>for</u> (□ por □ para) the CIA, and <u>because of</u> (□ por □ para) that, he's very secretive.

6. <u>By</u> (□ por □ para) the people and <u>for</u> (□ por □ para) the people.

7. We got lost and wandered through Madrid <u>for</u> (□ por □ para) two hours. Finally, we found the train station and left <u>for</u> (□ por □ para) Galicia.

8. Mom, can I have some money <u>for</u> (□ por □ para) ice cream?

9. We have to finish this <u>by</u> (□ por □ para) Friday <u>because of</u> (□ por □ para) the final exam.

10. I need to study <u>for</u> (□ por □ para) a zillion hours <u>for</u> (□ por □ para) this final!

11. The students came back <u>to get</u> (□ por □ para) more worksheets.

12. The instructor and students received medals <u>for</u> (□ por □ para) their valor.

13. They threw a big party to (□ por □ para) celebrate.

B. Complete the sentences with **por** or **para** according to the context.

De compras

1. Mis hermanas fueron al centro comercial _____ comprar zapatos nuevos.

2. Van a estar allí _____ tres horas.

3. Pero primero tienen que pasar _____ el banco para sacar el dinero.

4. Elena siempre paga mucho dinero _____ sus zapatos.

5. ¿ _____ qué necesita ella zapatos tan caros? No lo entiendo.

6. Los lleva _____ menos de un año, y después quiere comprar otros.

Para despertarse

7. Todos los días salimos _____ la universidad a las ocho menos cuarto de la mañana.

8. Normalmente pasamos _____ la casa de Leo, primero.

9. Ayer Leo estudió _____ cinco horas; por eso está muy cansado hoy.

10. Necesitamos pasar _____ algún café _____ tomar un café muy fuerte.

11. _____ despertarse, Leo necesita tomar mucho café o Jolt Energy.

12. _____ la Navidad, le compré tres libras (*pounds*) de café de Costa Rica.

REPASO: CAPÍTULO 14

I. Vocabulario

A. <u>Asociaciones</u>. What word or person do you associate with the following words?

tomar apuntes	_____	torpe	_____
romper	_____	el estrés	_____
distraído	_____	el despertador	_____

B. <u>El Sr. Martínez se levantó con el pie izquierdo</u>. Write four sentences about what happened to Mr. Martínez today.

1. _____

2. _____

3. _____

4. _____

II. Grámatica

A. <u>Unplanned or unexpected events</u>. Complete the sentences with the **se** construction and the verbs in parentheses. Use present tense or preterite, according to the context.

1. Al principio del año académico, ¿(olvidar) _____ sus horarios a los estudiantes?

2. Ayer a José (perder) _____ un documento en la computadora.

3. De vez en cuando (*once in a while*) a mí (quedar) _____ los libros que necesito en casa.

4. A nosotros siempre (acabar) _____ la cerveza en nuestras fiestas.

5. El otro día a mí (caer) _____ encima un café muy caliente. ¡Qué mala suerte!

B. <u>Unplanned events</u>. ¿Qué pasó el fin de semana pasado? Using the **se** construction with the following verbs, write what happened to each of the people at Juan's party.

| perder | romper | acabar | caer | olvidar |

1. _____

2. _____

3. _____

4. _____

5. _____

C. <u>Los adverbios</u>. Complete the passage with the missing adverbs.

Me acuerdo muy bien de cómo eran mis abuelos. Vivían en nuestro pueblo, y nosotros íbamos allí (1. constante) _____. Mi abuelo Octavio nos enseñaba sus plantas y sus flores (2. paciente) _____. Mi abuela Guillermina nos dejaba correr (3. rápido) _____ por toda la casa. Si hacíamos mucho ruido, decía (4. tranquilo) _____: «Bueno, niños, váyanse a jugar en el patio». La abuela siempre tenía todo muy organizado. Todos los días, nos servía el almuerzo a las dos (5. puntual) _____.

D. ¿Cuánto tiempo hace que...? Using the drawing and the cues provided, express how long the actions have been going on. Use **hace... que**.

Modelo: los gatos / jugar en casa (2 horas) → Hace dos horas que los gatos juegan en casa.

1. Isabel / tocar la guitarra (8 años)

_____

2. Isabel / tener los gatos (2 años)

_____

3. los gatos / estar en el sofá (1 hora)

_____

4. el teléfono / sonar (30 segundos)

_____

E. Now explain how long ago Isabel did these things, using your imagination and **hace... que**.

Modelo: sentarse para descansar → Hace una hora que Isabel se sentó para descansar.

            (Isabel se sentó para descansar hace una hora.)

1. poner el estéreo _____

2. comprar el sofa _____

3. volver de la universidad _____

4. empezar a leer _____

F. <u>Por</u> vs. <u>para</u>. Complete the sentences with the correct preposition.

1. Mi hermana salió _____ España ayer. Fue _____ avión pero va a viajar _____ tren durante sus vacaciones allí. Yo le regalé un libro sobre España _____ leer en el avión. Ella va a estar allí _____ tres semanas.

2. ¡_____ fin termina este semestre! Fue un semestre muy difícil _____ mí, porque tomé seis clases. _____ lo menos, voy a sacar notas altas en todas mis clases. Antes de los exámenes finales, pienso estudiar _____ una semana entera en la biblioteca. También tengo que escribir dos ensayos _____ la semana próxima. Estoy un poco nervioso _____ todo el trabajo que tengo.

III. <u>Diálogo</u>

Use the chapter 14 vocabulary and the expressions in *Puntos* to help you create a dialogue based on the situation below. Be prepared to role-play your dialogue with a partner for the class.

You borrowed an expensive designer shirt from your roommate and you spilled hot sauce on it at a party. Create a conversation between you and your roommate in which you:

- apologize and explain what happened (use the **se** for unplanned events and mention two things which happened), and
- suggest a solution to your roommate.

_____

_____

_____

_____

_____

_____

_____

_____

_____

_____

KEY LANGUAGE FUNCTIONS: DESCRIPTION, COMPARISON, EXPRESSING LIKES AND DISLIKES, NARRATION IN THE PAST, REACTION AND RECOMMENDATION

The chart below shows the linguistic tools needed to perform these five key language functions.

DESCRIBIR **D**	To construct a description	→ Vocabulary →	Linguistic Tools Needed: • **ser** vs. **estar** • noun-adjective agreement
COMPARAR **C**	To construct a comparison	→ Vocabulary →	Linguistic Tools Needed: • noun-adjective agreement • **más/menos… que** • **tan… como** • **tanto/a/os/as… como**
GUSTOS **G**	To construct a statement of likes and dislikes	→ Vocabulary →	Linguistic Tools Needed: • **Gustar**-type constructions • Indirect object pronouns
PASADO **P**	To construct a description in the past or narrate a series of past events	→ Vocabulary →	Linguistic Tools Needed: • Preterite vs. imperfect
REACCIONAR RECOMENDAR **R**	To construct a reaction or recommendation	→ Vocabulary →	Linguistic Tools Needed: • Subjunctive in noun clauses • Commands

Take turns with a partner talking about the following topics. Remember to pay attention to the linguistic tools (the grammar rules) you need to express these key language functions accurately.

DESCRIBIR **D**
- Describe how your health is this year and what you do to stay healthy.
- Describe what you are like when you feel stressed.

COMPARAR **C**
- Compare a lazy person you know with an energetic person you know.
- Compare the way you are now to the way you were in high school.

GUSTOS **G**
- Tell what bothers people about going to the dentist.
- Tell what interests psychologists about working with young people.

PASADO **P**
- Tell what happened the last time you got angry.
- Tell what happened the last time you hurt yourself.

REACCIONAR RECOMENDAR **R**
- Offer suggestions to someone who is very shy (*tímido*).
- Recommend ways to stay healthy during final exams.

Speaking Activities

GUIDED WRITING AND SPEAKING: ¿QUÉ PASÓ HOY EN EL CENTRO?

A. Imagine you are one of the witnesses to the scene below. Study the drawing and then work with a partner to form six questions about what happened downtown. Use a different question word in each question, and find a new partner to answer your questions.

1. _____

2. _____

3. _____

4. _____

5. _____

6. _____

B. Write an e-mail to a friend about what you saw downtown today.

C. With a partner, role-play a dialogue between any two characters in the drawing.

ROUND ROBIN: GRAMMAR MONITOR ACTIVITY

In this activity you will work in groups of three. Each partner will alternate roles until all three of you have (1) described what happened at one of the social events; (2) asked questions to get more information; and (3) served as the grammar monitor.

Partner A: Describe what happened at one of the gatherings depicted above. Narrate the events that took place during the evening in the preterite, and describe how things were and how people were feeling in the imperfect. Don't forget your **connectors: primero, luego, entonces, después.**

Partner B: Listen carefully as Partner A talks about the gathering he/she has chosen to describe. Then ask two questions to get more information about the party you missed.

Partner C: As the grammar monitor, your job is to write down the verbs that you hear. Before you give your feedback, circle all of the preterite verbs. When Partners A and B are finished, give them feedback on whether or not the preterite verbs they used actually moved the story line forward in time.

Speaking Activities

CAPÍTULO
15

Communicative Goals for Chapter 15

By the end of the chapter, you should be able to:

- talk about the environment ☐
- talk about cars ☐
- describe conditions ☐
- tell what you have done recently ☐

Grammatical Structures

You should know:

- past participles used as adjectives ☐
- present perfect indicative ☐
- present perfect subjunctive ☐

LISTENING COMPREHENSION: EL MEDIO AMBIENTE

Listen as your instructor reads a passage describing what Juanita and her friends do to protect the environment. The passage will be read twice. The first time you listen, put an "X" next to the actions you hear mentioned. The second time, listen for the name of the person doing the actions, and write that name in the blank provided. Don't worry if you can't understand everything; just go for the main ideas. Before your instructor begins to read, take turns with a partner pronouncing the phrases under **Acción.**

Vocabulario: **la bombilla** = light bulb **la lata** = can **matar** = to kill
  la pulga = flea **el vidrio** = glass

Acción	X	Nombre
tener un jardín orgánico		
no poner el aire acondicionador		
reciclar aceite		
tomar duchas muy rápidas		
trabajar en un centro de reciclaje		
reciclar latas y vidrio		
lavar los platos con agua fría		
no usar el coche nunca		
bañarse con agua fría		
comprar bombillas especiales		
usar productos químicos biodegradables		
no usar insecticidas		

LISTENING COMPREHENSION:
UN DÍA EN LA PLAYA DE PUNTARENAS

Listen as your instructor reads a description of what has happened at the beach today. The first time you listen, identify the different people being described and write their names on the drawing. The second time, listen for the answers to the questions below.

Vocabulario: **la arena** = sand   **el cangrejo** = crab   **el salvavidas** = lifeguard

1. ¿Qué les ha pasado a Max y Monika?

_____

2. ¿Cómo es Laura?

_____

3. ¿Cómo está Carlos en este momento, y por qué?

_____

4. ¿Qué le han dicho al Sr. Verde, y por qué?

_____

¿Cierto o falso?

5. ☐ C   ☐ F   Teresa Gómez está muy contenta hoy.
6. ☐ C   ☐ F   Daniel ha construido solo un castillo hoy.
7. ☐ C   ☐ F   Ramón empezó a trabajar en la playa en marzo.
8. ☐ C   ☐ F   Alejo y Juanita van a ir a comer después.

PRÁCTICA: PAST PARTICIPLES AND PRESENT PERFECT (I)

I. <u>Past participle used as adjective</u>

Yolanda's parents are coming for a visit, and she needs to get ready. Complete the sentences with the correct form of the past participle of the verbs in parentheses. Remember adjectives must agree with nouns.

1. La mesa debe estar (poner) _____ para la cena.

2. Tengo que tener (hacer) _____ los programas para la clase de informática.

3. El trabajo para la clase de historia debe estar (escribir) _____ en español.

4. Mi cafetera está (romper) _____; tengo que comprar otra.

5. Toda la ropa debe estar (lavar) _____ y (planchar) _____.

Tell Mr. and Mrs. Urrutia what they need to do before their trip by completing the sentences with the correct form of the past participle of the verbs in parentheses.

6. Deben estar seguros que el televisor está (apagar) _____.

7. Las maletas deben estar (hacer) _____ con un día de anticipación.

8. Deben tener los pasaportes y el dinero (guardar) _____ en un lugar seguro.

9. Las puertas y las ventanas de la casa deben estar (cerrar) _____.

10. Recomiendo que hagan una lista para tener todo (organizar) _____.

II. <u>Present perfect</u>

Rosario is moving to another apartment. Complete the sentences about what has happened on moving day with the correct form of the present perfect indicative or subjunctive.

11. Está segura que (haber mandar) _____ el cheque para la luz.

12. No le gusta que (haber subir) _____ tanto el alquiler de los apartamentos.

13. Le parece increíble que el dueño le (haber pedir) _____ 460.00 dólares al mes.

14. Espera que él (haber resolver) _____ el problema con el agua.

15. Se alegra de que sus amigos (haber venir) _____ para ayudarla.

What is the Spanish professor thinking about today? Complete the sentences with the correct form of the present perfect indicative or subjunctive.

16. El profesor duda que los estudiantes (haber estudiar) _____ mucho.

17. Cree que él (haber explicar) _____ bastante bien la materia.

18. Le molesta que los estudiantes no (haber hacer) _____ el repaso.

19. Está seguro que nadie (haber leer) _____ la lista del vocabulario.

20. Piensa que es posible que algunos (haber sacar) _____ notas muy bajas.

Complete the sentences with the correct forms of the past participle, or the present perfect indicative or subjunctive.

I. The Acuña family is moving and today they've looked at several houses.

Padre: Quiero comprar la segunda casa, porque dudo que muchas personas

(1. haber vivir) _____ en ella. Además (*Besides*), me pareció una

casa muy bien (2. construir) _____.

Madre: Pues, me gustó más la tercera casa, la que estaba (3. pintar)

_____ de blanco y verde. Creo que los dueños la (4. haber

decorar) _____ muy bien. Y tenía ese patio tan bien

(5. cuidar) _____.

Eva: Yo prefiero la última casa, pero es una lástima que los dueños no

(6. haber poner) _____ otro baño.

Ana: Para mí, la mejor fue la primera casa, la que tenía tres alcobas. Nunca

(7. haber tener - yo) _____ mi propia (*my own*) alcoba.

II. Jaime and Elisa are discussing the English test they took yesterday.

Jaime: Espero que el profesor (1. haber corregir) _____ nuestros

exámenes. Pablo me (2. haber decir) _____ que él corrige todo

muy rápido.

Elisa: Sí, parece ser un hombre muy (3. organizar) _____. Pero no

quiero mi examen, porque temo que no (4. haber sacar) _____

una nota muy alta.

Jaime: ¡Qué va! Todos nosotros estudiamos un montón para ese examen. Teníamos todos

los nuevos verbos (5. memorizar) _____. Estoy seguro que el

profesor te (6. haber poner) _____ una nota buena.

Elisa: No sé. Realmente, dudo que (7. haber escribir- yo) _____

muchas respuestas correctas, porque no estaba nada (8. preparar)

_____ Siento que no (9. haber ir - nosotros)

_____ a ver al profesor antes del examen.

UNA CARTA DE ESPAÑA

The following letter is from a Spanish host "mom," Benigna, to one of her former American "daughters." Complete the letter with the correct form of the present perfect indicative or subjunctive, according to the cues in parentheses. Then answer the questions below.

Vocabulario: **la suegra** = mother-in-law   **ingresar** = to admit to a hospital
              el paro cardíaco = cardiac arrest   **el embarazo** = pregnancy

---

Salamanca el 10 de octubre de 2016

Querida Sharon y familia,

Perdona que no te (1. *I have written*) _____ antes, pero (2. *we have been*) _____ muy ocupados. Desgraciadamente, (3. *has died*) _____ mi suegra. Murió el día 22 de septiembre. Tenía problemas de corazón. La ingresamos el sábado día 21 y el domingo le dieron dos paros cardíacos. Ya era mayor, tenía 86 años.

Me alegro de que tu padre (4. *has improved*) _____, y ya me tienes que contar cómo va el embarazo de tu hermana.

(5. *Have arrived*) _____ dos chicas americanas. Una es estupenda, come de todo y le encantan los garbanzos y la comida que a ti te gusta. Se llama Rhona y es de Búfalo. La otra se llama Carolina. Es de Long Island, tiene mucho dinero y es un problema. Me (6. *she has said*) _____ que solo quiere arroz, verduras, fruta, mermelada de fresa y pan. No come ni carne, ni pescado ni nada, ni la paella que a ti tanto te gusta.

Raquel y José Luis (7. *have begun*) _____ ya sus clases. A Raquel la (8. *we have changed*) _____ de colegio y ahora está muy contenta. José Luis comenzó el lunes sus clases en la universidad; también está muy contento.

Sharon, (9. *has been*) _____ aquí Elisabeth, la profesora de Cádiz. Dice que le gusta el trabajo, pero que le gustaría estar más tiempo con su marido.

Dime si quieres que te mande alguna revista de HOLA.

Bueno, me despido, un abrazo y muchos besos
BENIGNA HERNÁNDEZ RIVERO

P.D./ Gracias por tus cartas y perdona que no te (10. *I have answered*) _____ antes.

---

11. ¿Por qué no ha escrito antes Benigna?

   _____

12. ¿Quiénes han llegado a su casa?

   _____

13. ¿Cómo son las dos americanas?

   _____

14. ¿Qué han comenzado Raquel y José Luis?

   _____

15. ¿Quién ha visitado a Benigna recientemente, y de dónde es esa persona?

   _____

MARCO Y MARTA EN LA ARGENTINA

Read what Marta and Marco did in Argentina. Then react to each statement using the present perfect subjunctive where necessary.

Modelo: Marco acampó al lado de los pingüinos en Ushuaia.
Es increíble <u>que haya visto tantos pingüinos de cerca</u>.

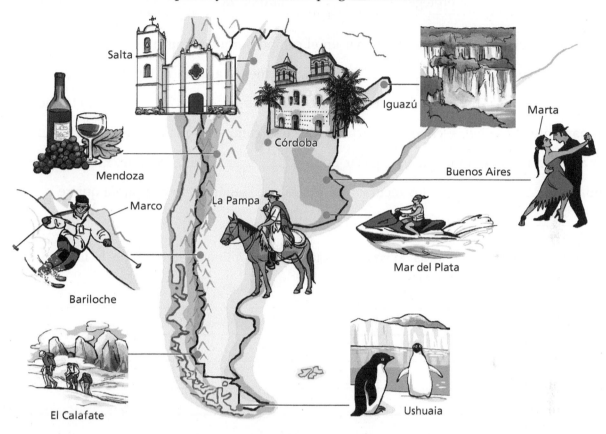

1. Cuando Marco fue a Mendoza, probó (*tried*) todos los vinos.

   Dudo que _____

2. Marta sacó cien fotos en Iguazú.

   Es probable que _____

3. Marco dio una caminata de cuatro días en El Calafate.

   Ojalá que _____

4. Marta tomó clases de tango en Buenos Aires.

   Es evidente que _____

5. Marco se cayó dos veces cuando esquiaba en Bariloche.

   Es terrible que _____

6. Marta conoció a un gaucho guapo en La Pampa.

   Es posible que _____

REPASO: CAPÍTULO 15

I. Vocabulario

A. Faltan palabras. Complete the passage below with the correct words.

aire puro	ritmo de vida	montar a caballo	bello
construir	proteger	naturaleza	destruir

Juan Alberto, ecólogo, quiere vivir en el campo porque le gusta estar cerca de la

_____, porque el _____ es menos acelerado y porque le gusta el

_____. Todos los días después de desayunar, _____ en el bosque.

Últimamente (*Recently*), escribe un artículo sobre una compañía que quiere _____

una autopista muy grande que va a pasar por el _____ bosque. Él quiere

ayudar a _____ los recursos naturales que, según él, la compañía quiere

_____.

B. Asociaciones. What words do you associate with the following terms? Try to list two or three related words for each.

1. el medio ambiente: _____

2. los recursos naturales: _____

3. el campo: _____

4. la ciudad: _____

5. la autopista: _____

C. Definiciones

1. Dos productos petróleos que usan los coches: _____

2. Un coche tiene cuatro: _____

3. Lo opuesto de **arrancar**: _____

4. El lugar donde se arreglan coches: _____

5. La persona que conduce: _____

6. Los Cadillac son coches de lujo; _____ mucha gasolina.

7. Si los _____ del coche no funcionan, no puedes parar.

D. Preguntas. Contesta en español.

1. En el futuro, ¿dónde vas a vivir, en la ciudad o el campo?

_____

2. ¿Cuáles son dos problemas de vivir en el campo? ¿Y en la ciudad?

_____

3. En tu opinion, ¿es necesario proteger el medio ambiente? ¿Cómo?

_____

4. En tu opinión, ¿cuál es el problema más grave del mundo de hoy?

_____

II. Gramática

A. Participios pasados. Give the past participle of the following infinitives.

ver	_____	decir	_____
pedir	_____	morir	_____
volver	_____	invitar	_____
poner	_____	hacer	_____
descubrir	_____	visitar	_____
abrir	_____	romper	_____
ir	_____	escribir	_____

B. Expresa en español.

1. a polluted river _____

2. a protected forest _____

3. recycled paper _____

4. a broken windshield _____

5. a solved problem _____

6. a parked car _____

C. ¿Qué ha pasado por aquí? You've been out of town for a semester and ask your roommate Pablo what has happened while you've been gone. Ask him the following questions, using the model.

Modelo: Pedro / graduarse → ¿Pedro se ha graduado?

1. Sara / encontrar trabajo

   _____

2. Lucho / salir con muchas chicas

   _____

3. la universidad / mandar mis notas

   _____

4. mi novia / quedarse en casa

   _____

5. mis amigos / escribirme muchas cartas

   _____

6. Lola / tener otro accidente de coche

   _____

7. tú / alquilar mi cuarto a alguien

   _____

8. Jaime / cuidar a mi gato

   _____

D. Present Perfect Subjunctive. Read about what supposedly happened at the Gasolinera Gómez today. Write your reaction to each statement, using present perfect subjunctive when necessary.

Modelo: El Sr. Gómez le dio a Manuela un aumento de sueldo este año.
Dudo que le haya dado un aumento muy grande.

(Continúa.)

1. El Sr. Arce compró su coche recientemente.

   No creo que _____

2. Manuela trabajó en otra gasolinera por tres años.

   Sí, creo que _____

3. Carlos cambió esta misma llanta hace dos semanas.

   Dudo que _____

4. El mecánico destruyó el motor del coche.

   No es posible que este mecánico _____

5. El Sr. Gómez le cobró (*charged*) al Sr. Arce 2.000 dólares por reparar su coche.

   Dudo que _____

III. Diálogo

Write a dialogue on the following topic. Be prepared to role-play your dialogue with a partner to present to the class.

Your new roommate Irina is not very environmentally conscious. Create a conversation between you and Irina in which:

- you explain why it's important to protect the environment;
- you mention two things you do to conserve energy/resources;
- you recommend that Irina not do/stop doing something which is bad for the environment.

Include Irina's replies to your comments and any other details.

_____

_____

_____

_____

_____

_____

_____

_____

_____

ROUND ROBIN: GRAMMAR MONITOR ACTIVITY

In this activity you will work in groups of three. Each partner will alternate roles until all three of you have (1) reacted to each statement; (2) made a recommendation; and (3) served as the grammar monitor.

Statements	Roles of Partners A, B, and C
1. Han construido un estacionamiento encima del único parque de mi ciudad natal (*hometown*). 2. El gobierno ha decido imponer un impuesto (*tax*) de 2.000 dólares en todos los coches tipo *SUV*. 3. Este mes un galón de petróleo cuesta cinco dólares. 4. Ahora Macy's vende máscaras contra la contaminación en colores brillantes para hacer juego con (*to go with*) tu ropa. 5. En los últimos años se ha destruido el quince por ciento de la Amazonia.	A. React B. Recommend C. Be the monitor

Partner A: Read the statement aloud, then give your reaction using an impersonal expression such as **Es terrible que...**, **Es obvio que...**, or **Es fenomenal que...**

Partner B: Offer a suggestion or recommendation to help improve the situation.

Partner C: As the grammar monitor, your job is to write down the subjunctive verb forms that you hear. Make sure that subjunctive is not used with expressions indicating certainty such as **Es evidente que...**, **Es cierto que...**, or **Es verdad que...** When Partners A and B are finished, give them feedback on whether or not they are using the subjunctive correctly for reactions and recommedations.

Now switch roles. Partner A will recommend, Partner B will be the grammar monitor, and Partner C will react. Then switch roles one more time.

GUIDED WRITING AND SPEAKING: EN UNA CANTINA CERCA DEL RÍO ORINOCO, VENEZUELA

A. Using the drawing and your imagination, answer the following questions in complete Spanish sentences. Pay careful attention to the way the questions are phrased in order to use the correct structures in your answers.

Vocabulario: **notar** = to notice   **el bosque tropical** = rain forest

1. What did Lola and Raúl do yesterday?
2. What's the weather like in Orinoco today?
3. What does Ana recommend that they all do after eating?
4. Why is Juan going to teach a class on the destruction of the rain forest?
5. Did Rosa notice air pollution when she arrived in Caracas?
6. Why are Lola and Raúl tired now and what have they done today?
7. Has Rosa written to her boyfriend yet?
8. Has Ana had a nice time in Venezuela?
9. Why does Marco doubt that his group feels like horseback riding?
10. Why does Marco recommend that they get up very early tomorrow?

B. Write a letter from one of the tourists, describing his or her trip to Venezuela.

C. With a partner, role-play a dialogue between any two characters in the drawing.

BINGO: ¿QUÉ HAS HECHO?

ha estado en Nueva York.	ha nadado en el Pacífico.	ha estudiado arquitectura.	ha empezado un trabajo nuevo.	se ha levantado tarde hoy.
ha cenado en un restaurante bueno.	ha estado en la Casa Blanca.	ha tomado una clase de informática.	ha visto una película mala esta semana.	ha comido algo con chocolate hoy.
ha conocido a alguien famoso.	ha roto con su novio/novia.	ha llamado a sus padres esta semana.	ha vivido en otro país.	ha tocado en un conjunto.
ha dormido en una tienda de campaña.	ha tenido un accidente de coche.	ha conducido demasiado rápido alguna vez.	ha asistido a la ópera recientemente.	ha participado en una competencia de tenis.
ha escrito una carta por correo electrónico.	ha sacado una nota mala una vez.	ha visitado México.	ha leído un libro bueno semana.	ha hecho algo por el medio ambiente.

COMMUNICATIVE GOALS PRACTICE #8

Try to talk about the scene below for 75 seconds. "Show off" all you have learned up to this point in the semester. Check the **Communicative Goals** boxes at the beginning of each chapter of your Supplement to see all that you should be able to do. For this oral proficiency practice, some of the possible categories are listed below. Try to use connectors (**porque, pero, y, también, por eso**) to make your description sound more fluent and natural.

1. Description (age, personality, physical appearance, clothing)
2. Where these people will go after work/school
3. The daily routine of one of them
4. What you recommend they do to improve their quality of life
5. How they get to work/school
6. A strange or unexpected event that happened to one of them today

After you've finished your description, imagine you are talking to the characters in the drawing. Ask at least two questions of one or more characters.

CAPÍTULO
16

- talk about sentimental relationships ❏
- discuss the different stages of life ❏
- describe your ideal companion, friend, job, apartment, vacation spot, and so on ❏
- discuss cause-and-effect relationships ❏

Grammatical Structures
You should know:

- subjunctive after non-existent and indefinite antecedents ❏
- subjunctive after conjunctions of contingency and purpose ❏

PRONUNCIACIÓN

- Amalia no aprende nada a menos que asista a clase cada día.
- Pablo practica el piano para poder pasar tiempo con Paula.
- Carolina quiere un contrato en caso de que Carlos cambie las condiciones del convenio.
- Antes de casarse con Ana, Andrés tiene que alquilar un apartamento que sea amplio y atractivo.

LISTENING COMPREHENSION: EN CASA DE MIGUEL

Miguel and Roque live in a co-op with some other students. Listen to their conversation about what everyone is doing. Your instructor will read the conversation twice. The first time you hear it, number the activities in the order you hear them and match each activity with the person(s) doing it. The second time you hear the conversation, listen for the answers to the questions that follow.

	Actividades	Personas
_____	estar en la galería	Rosa
_____	ir al cine	Roque
_____	jugar al tenis	Víctor
_____	comer algo	Sancho
_____	ir al lago para nadar	Carmen
_____	ver unos partidos	Miguel
_____	tomar el sol	Marta

1. ¿Qué quería hacer Miguel con Víctor? _____
2. ¿Con quién iba a jugar al tenis Marta? _____
3. ¿Qué pasa hoy entre la casa de Miguel y el Club Latino? _____
4. ¿Por qué es hoy un día especial para Carmen? _____

PRÁCTICA: SUBJUNCTIVE IN ADJECTIVE CLAUSES (I)

Complete the sentences with the subjunctive. Can you explain why the subjunctive is used in each case?

1. El semestre pasado tuve problemas con mi compañero de cuarto. Este semestre, busco un compañero de cuarto que (ser) _____ amable, que (ayudarme) _____ a limpiar la casa y que (pagar) _____ el alquiler a tiempo. Necesito a alguien que (cocinar) _____ bien y que no (ver) _____ la televisión a todas horas.

2. Mi coche es muy viejo y ya no funciona muy bien. Quiero comprar un coche usado que no (ser) _____ muy caro, que (tener) _____ estéreo y aire acondicionador y que (andar) _____ bien.

3. No me gusta mucho mi apartamento. Voy a buscar uno que (estar) _____ cerca de la universidad, que (ser) _____ grande y que no (costar) _____ demasiado. Me gusta la idea de vivir en un apartamento que (tener) _____ muchas ventanas y una terraza bonita.

4. El año pasado no pude ir de vacaciones. Este año, quiero ir a algún lugar donde (haber) _____ muchas playas, que (ser) _____ muy tranquilo y donde yo (poder) _____ descansar y relajarme.

5. No me gusta el novio de mi amiga Marta. En mi opinión, Marta necesita buscar un chico que (ser) _____ inteligente y amable, que (saber) _____ tratar a una mujer y que no (llegar) _____ tarde para las citas.

6. El semestre pasado mis clases fueron horribles. Este semestre, quiero tomar unas clases que (ser) _____ interesantes y que no (empezar) _____ a las ocho de la mañana. Y quiero estudiar con profesores que no (dar) _____ mucha tarea y que (explicar) _____ bien la materia.

7. Mi jefe es un imbécil y odio mi trabajo. Algún día, quiero trabajar con una persona que (respetar) _____ y que (escuchar) _____ a sus empleados. Espero trabajar en un lugar donde yo (hacer) _____ algo importante, donde (ganar) _____ un buen sueldo y donde (trabajar) _____ con gente simpática.

PRÁCTICA: SUBJUNCTIVE IN ADJECTIVE CLAUSES (II)

Describe your ideas about the perfect apartment, vacation spot, boyfriend/girlfriend, and job. List three characteristics for each thing. Remember that you're describing places and people that may not really exist, so you need to use the subjunctive.

1. El apartamento ideal

Quiero un apartamento / una casa que... _____.

_____.

_____.

2. Las vacaciones ideales

Quiero ir a un lugar que / donde... _____.

_____.

_____.

3. El hombre perfecto / La mujer perfecta

Estoy buscando a alguien que... _____.

_____.

_____.

4. El trabajo ideal

Quiero un trabajo que... _____.

_____.

_____.

PRÁCTICA: ¿HAY ALGUIEN AQUÍ QUE...?

Look at the drawing, then answer the questions about it in Spanish. Remember that whether you use the subjunctive or indicative here depends on your answer.

Modelo: Is there someone who is ordering a meal?
Sí, **hay varias personas que piden** algo de comer en el café.

Is there someone rollerblading in the plaza?
No, en este momento **no hay nadie que patine en línea** en la plaza.

Is there someone who is ...

1. playing chess?
2. reading the paper?
3. eating in a café?
4. playing soccer?
5. taking photos?

6. going for a walk?
7. playing the guitar?
8. riding a bike?
9. waiting for a friend?
10. arguing?

PRÁCTICA: SUBJUNCTIVE VS. INDICATIVE

Complete each sentence with the correct form of the verb in subjunctive or indicative, according to the context.

1. —Quiero un novio que me (cantar) _____, que me (escribir) _____ poesía y que me (traer) _____ rosas todos los días.

   —Pues, mi novio no (hacer) _____ nada de eso, pero (ser) _____ cariñoso, inteligente y honesto.

2. —Quiero ir a algún lugar donde (haber) _____ música buena y gente divertida.

   —Pues, vamos al Club Caribe. Dos conjuntos excelentes (ir) _____ a tocar allí esta noche.

3. —¿Conoces a alguien que (saber) _____ bailar la macarena?

   —No, pero tengo un amigo que (querer) _____ aprenderla.

4. —Necesitamos una secretaria que (hablar) _____ francés, español, inglés y japonés. También necesitamos una que (tener) _____ mucha experiencia con la informática.

   —Uds. están locos. No existe la secretaria que (poder) _____ hacer todo eso.

   —Pues, Ud. está equivocado. Ya encontramos a una... pero ella (pedir) _____ más de $55.000 al año.

5. —Busco un apartamento que (ser) _____ bonito pero barato, porque el que tengo ahora (costar) _____ demasiado.

   —En mi barrio (haber) _____ varios apartamentos que se alquilan. Además (*Besides*), conozco a dos personas que (buscar) _____ a alguien para compartir una casa con ellos.

PRÁCTICA: SUBJUNCTIVE AFTER CERTAIN CONJUNCTIONS

There are five Spanish conjunctions of contingency/purpose that always take the subjunctive. Remember them with the acronym A SPACE.

A	antes (de) que	before
S	sin que	without, unless
P	para que	so that
A	a menos que	unless
C	con tal (de) que	provided (that)
E	en caso de que	in case

The statements below describe the problems Yoli and her friends are having while giving a party. Use one of the conjunctions of contingency to summarize each problem. Choose a logical conjunction for the context, and remember to use the subjunctive.

Modelo: Si la novia de Marcos tiene que trabajar, ellos no van a la fiesta. →
Marcos va a ir, **con tal (de) que** su novia no tenga que trabajar.
Marcos va a la fiesta, **a menos que** su novia tenga que trabajar.

1. Yoli tiene tiempo de limpiar la casa, pero solo si los invitados no llegan temprano.

_____

2. Jorge necesita comprar hielo, pero él es muy olvidadizo. Yoli piensa comprar hielo extra.

_____

3. Luisa y Virginia se odian. Si Luisa va a la fiesta, entonces no va Virginia.

_____

4. Si sus amigas compran la comida hoy, Yoli puede preparar las botanas esta noche.

_____

5. El estéreo de Yoli está roto. Por eso, su amigo Jorge debe traer su estéreo a la fiesta.

_____

6. Yoli piensa hacer la fiesta en el patio, pero solo si hace buen tiempo.

_____

7. Esta tarde a las tres vienen unos amigos para ayudar. Yoli debe estar en casa antes.

_____

8. Yoli debe llamar a todos los amigos ahora. Así van a saber a qué hora es la fiesta.

_____

9. Si a Carmen se le olvida comprar las bebidas, Yoli puede ir al supermercado.

_____

10. Los vecinos se acuestan a la una. Si la fiesta no termina a la una, ellos van a llamar a la policía.

_____

PRÁCTICA: SUBJUNCTIVE OF CONTINGENCY AND PURPOSE

Below are a series of drawings showing several people's plans. Use the information in each pair of drawings and the conjunctions given with them to form sentences about each person's activities. Remember to use the subjunctive with these conjunctions.

Modelo:  a menos que

Juanito y sus amigos van a jugar al basquetbol, a menos que llueva esta tarde.

Mercedes y Gloria  con tal de que

1. _____

antes de que  el Sr. Martínez

2. _____

la Sra. García  para que

3. _____

a menos que

4. _____

antes de que

Marta

5. _____

en caso de que no

Ana

Miguel

Alberto

6. _____

María

con tal de que

7. _____

antes de que

Lorena

8. _____

SUBJUNCTIVE, INDICATIVE, OR INFINITIVE?

Fred and Julio are deciding what movie to see tonight. Complete their conversation with the correct form of the verb (subjunctive, indicative, or infinitive) in parentheses, according to the context.

J: Oye, Fred... ¿quieres acompañarme al cine esta noche?

F: Sí, claro, a menos de que (1. tener - yo) _____ mucha tarea en mi clase de español. ¿Qué película piensas ver?

J: No sé... Hay muchas posibilidades. Quiero ver una película que (2. ser) _____ diferente. Estaba pensando en ver *The Huntsman*, la película con Emily Blunt que (3. acabar) _____ de salir.

F: Lo siento, pero yo ya (4. haber) _____ visto esa película. ¿Hay otra que (5. querer - tú) _____ ver?

J: Tal vez. En el cine de la universidad, dan *Alien*. ¿Qué te parece?

F: Emmm... este... Pues, Julio, solo puedo ir con tal de que no (6. ver - nosotros) _____ una película de horror.

J: Ay, Fred, (7. ser - tú) _____ tan pesado (*a pain*) a veces. ¡Es increíble que (8. ser - tú) _____ tan particular (*picky*)!

F: De verdad lo lamento, pero es mejor que (9. ver - nosotros) _____ una película que nos (10. gustar) _____ a los dos, ¿verdad?

J: Sí, claro. Bueno, ¿por qué no (11. decidir) _____ tú? ¿Hay alguna película que no te (12. dar) _____ pesadillas (*nightmares*) y que todavía no (13. haber - tú) _____ visto?

F: ¡Sí! Quiero que (14. ver - nosotros) _____ *Nine Lives*.

J: Bueno, hombre, de acuerdo. ¿A qué hora (15. empezar) _____?

F: A las siete y media. ¿Por qué no nos encontramos enfrente del cine a las siete y cuarto? Y en caso de que (16. llegar - yo) _____ primero, compro las entradas.

J: Muy bien. Pero, ¿no tienes ganas de comer algo antes de (17. ir) _____?

F: ¡Buena idea! Pero debemos cenar temprano para no (18. perder) _____ el comienzo de la película. ¿Conoces algún restaurante bueno pero barato que (19. estar) _____ cerca del cine?

J: Sí. Bueno, en ese caso, te vengo a buscar a las seis.

REPASO: CAPÍTULO 16

I. Vocabulario

A. Definiciones.

1. Lo opuesto de **casarse:** _____

2. Dos personas casadas forman una _____.

3. Lo opuesto de **la juventud:** _____

4. Un grupo de amigos que se llevan bien tienen _____.

5. El nombre del viaje que hacen los novios después de la boda: _____

6. Lo que uno hace cuando la relación con su pareja va muy mal: _____

B. Orden cronológico. Put the stages of life in chronological order. Then write one or two words you associate with each stage.

_____ la adolescencia _____

_____ la infancia _____

_____ la niñez _____

_____ la juventud _____

_____ la vejez _____

_____ la madurez _____

II. Gramática

A. Antecedents. Decide if the underlined words in the following sentences are **existent/ definite (E/D)** or **nonexistent/indefinite (N/I)**. Which sentences would need the subjunctive?

1. ☐ E/D ☐ N/I ☐ Subjunctive   Is there <u>someplace</u> we can go to get away from it all?

2. ☐ E/D ☐ N/I ☐ Subjunctive   I need a <u>boss</u> who won't drive me crazy.

3. ☐ E/D ☐ N/I ☐ Subjunctive   Isn't there <u>anyone</u> here who can help me?

4. ☐ E/D ☐ N/I ☐ Subjunctive   Hello. I'm looking for that nice <u>man</u> who handles returns.

5. ☐ E/D ☐ N/I ☐ Subjunctive   Do you know that <u>house</u> down the street from mine?

6. ☐ E/D ☐ N/I ☐ Subjunctive   Is there a <u>place</u> we can swim that's not crowded?

7. ☐ E/D ☐ N/I ☐ Subjunctive   I'm looking for a <u>woman</u> with brown hair, named Alicia.

8. ☐ E/D ☐ N/I ☐ Subjunctive   What's the name of that <u>movie</u> we saw last week?

9. ☐ E/D ☐ N/I ☐ Subjunctive   She's marrying a <u>man</u> from Spain who lives in New York.

B. El subjuntivo. What are the six conjunctions of contingency or purpose that "trigger" the subjunctive? Write them below and then write one sentence for each. Check your list of conjunctions in Chapter 16 of *Puntos*.

A _____

S _____

P _____

A _____

C _____

E _____

C. Párrafo. Julia's parents are going on a trip and are leaving her in charge. Complete their conversation with the correct form of the indicative or subjunctive, according to subject and context.

Padre: Julia, quiero que (1. llevar) _____ a tu hermanito a la escuela y que lo (2. cuidar) _____ mucho.

Madre: Sí, y es importante que no (3. olvidarse - tú) _____ de limpiar la cocina todas las noches. Recomiendo que (4. sacar - tú) _____ la basura todos los días para que no (5. entrar) _____ cucarachas.

Julia: Sí, sí, de acuerdo. Si pasa algo serio, ¿tienen Uds. algún número de teléfono donde yo los (6. poder) _____ llamar?

Madre: Dudo que (7. tener - tú) _____ problemas, porque (8. ser - tú) _____ una chica tan responsable. Pero en caso de que (9. pasar) _____ algo, aquí tienes el número del hotel.

Padre: ¿Por qué no nos (10. llamar - tú) _____ todas las noches? Creo que es mejor que (11. estar - nosotros) _____ todos más tranquilos.

Julia: Sí, sí, de acuerdo. Bueno, espero que Uds. (12. divertirse) _____ mucho. ¡Hasta la próxima semana! ¡Adiós!

D. <u>Más práctica con el subjuntivo</u>. For each drawing, write a sentence using a different conjunction of contingency or purpose.

1. _____

2. _____

3. _____

4. _____

III. <u>Diálogo</u>

Create a dialogue based on the topic below. Be prepared to role-play the dialogue with a partner to present to the class. Try to include at least one **tú** command and one sentence with the subjunctive in your conversation.

Your good friend wants to go out with someone with whom you had a disastrous relationship! Create a conversation in which you:

- describe your "ex" to your friend;
- explain why your friend should not go out with him/her;
- suggest that your friend go out with someone else.

_____
_____
_____
_____
_____
_____
_____
_____
_____

GUIDED WRITING AND SPEAKING: EN LA PLAYA

A. Using the drawing and your imagination, answer the following questions in complete Spanish sentences. Pay careful attention to the way the questions are phrased in order to use the correct structures in your answers.

1. What do you recommend that Lola and Ernesto not do tomorrow?
2. Why is Alejo tired now, and what has he done today?
3. What does Jaime hope that the children do?
4. Where did Susana and Miguel meet each other?
5. What are they going to do, provided that they have time?
6. What does Mr. López like to do on the beach?

B. Imagine you are on vacation on this beach. Write an e-mail to a friend in which you mention some things you have done and what you plan to do provided that there's time and good weather.

C. With a partner, role-play a dialogue between any two characters in the drawing.

BINGO: LA VIDA SOCIAL

_____ tiene esposo/a	va a ir a una boda este sábado.	tiene dos citas este fin de semana.	cree que la amistad entre hombre y mujer es imposible.	quiere salir con alguien de la clase de español.
A _____ le encanta ser soltero/a.	va a casarse este año.	va a romper con su novio/a pronto.	conoce a muchas chicas solteras.	_____ está enamorado/a.
_____ nació en otro estado.	sale con amigos esta noche.	es amigo/a de alguien famoso.	tiene problemas con el/la novio/a de su hermano/a.	_____ vive lejos del *campus*.
_____ conoce a alguien divorciado/a.	busca un novio nuevo / una novia nueva.	se lleva mal con su compañero/a de casa.	vive en una residencia.	no piensa casarse nunca.
conoce a muchos chicos solteros.	fue al Caribe para su luna de miel.	está casado/a con alguien de otro país.	tiene una vida social fabulosa.	se enamora con frecuencia.

DIÁLOGOS

With a classmate, write a short dialogue based on one of these situations. Use the cues as a guide. Be prepared to role-play your dialogue with your partner for the class.

1. **Un novio desastroso** Your sister wants to get married to her Paraguayan boyfriend, but you really don't think he's the right person for her. Have a conversation with a friend in which you:

- describe your sister's boyfriend, and then describe the kind of person you think she needs;
- explain what went wrong when your family went to Asunción to meet his family;
- discuss what you both hope your sister will do so that everything works out.

_____

_____

_____

_____

_____

_____

2. **Un viaje** Your roommate is traveling to Paraguay, Uruguay, and Argentina this summer and is looking for someone to go with him/her. Have a conversation with your roommate in which you:

- ask what he/she is looking for in a travel companion **(compañero/a de viaje)**;
- describe a friend and explain why you think this person is a good travel companion;
- recommend some things they should do and see in those countries.

_____

_____

_____

_____

_____

_____

Expresiones útiles

¡Qué pesadilla! *(What a nightmare!)*

Es un desastre.

El problema es que...

No te lo vas a creer. *(You won't believe it.)*

¿Te imaginas? *(Can you imagine?)*

No te/le conviene. *(That's not a good idea for you/him/her.)*

¿Has pensado en...? *(Have you thought about ...?)*

Sería mejor + *inf. (It would be better to ...)*

Es un encanto. *(He/She is delightful.)*

¿Qué tal si...?

Yo lo veo así. *(This is how I see it.)*

KEY LANGUAGE FUNCTIONS: DESCRIPTION, COMPARISON, EXPRESSING LIKES AND DISLIKES, NARRATION IN THE PAST, REACTION AND RECOMMENDATION

The chart below shows the linguistic tools needed to perform these five key language functions.

D DESCRIBIR	To construct a description → Vocabulary →	Linguistic Tools Needed: • **ser** vs. **estar** • noun-adjective agreement
C COMPARAR	To construct a comparison → Vocabulary →	Linguistic Tools Needed: • noun-adjective agreement • **más/menos... que** • **tan... como** • **tanto/as/os/as... como**
G GUSTOS	To construct a statement → Vocabulary → of likes and dislikes	Linguistic Tools Needed: • **Gustar**-type constructions • Indirect object pronouns
P PASADO	To construct a description → Vocabulary → in the past or narrate a series of past events	Linguistic Tools Needed: • Preterite vs. imperfect
R REACCIONAR RECOMENDAR	To construct a reaction → Vocabulary → or recommendation	Linguistic Tools Needed: • Subjunctive in noun clauses • Commands

Take turns with a partner talking about the following topics. Remember to pay attention to the linguistic tools (the grammar rules) you need to express these major language functions accurately.

- Describe an ideal date (use the subjunctive)
- Describe your ideal job, car, or partner. (use the subjunctive)

- Compare two famous couples
- Compare environmental problems of today with those of fifty years ago.

- Tell what you like about SUVs and what bothers some people about them.
- Tell what bothers parents about big weddings.

- Tell what you have done recently to help save the planet.
- Tell something funny that happened to you or a friend while on a date.

- Offer some suggestions to help protect the environment for future generations.
- Offer advice to a couple on where to spend their honeymoon if money is not an object. Explain your reasons.

CAPÍTULO
17

Communicative Goals for Chapter 17

By the end of the chapter, you should be able to:

- discuss careers and money matters ❑
- talk about the future ❑
- talk about pending actions ❑
- express conjecture ❑

Grammatical Structures

You should know:

- future verb forms ❑
- subjunctive and indicative ❑ after conjunctions of time
- stressed possessives ❑

PRONUNCIACIÓN

Listen as your instructor pronounces the following sentences, then practice them with a partner. Make sure to pronounce the future tense forms properly.

- Cuando Carlota pueda, pedirá un préstamo, comprará un coche y lo pagará a plazos.
- Los Sres. Suárez visitarán Acapulco donde alquilarán una habitación en el Hotel Regina.
- Paquita Palacios tomará un taxi al centro de Puebla y pagará tres mil pesos.
- En veinticinco años, tendremos una presidenta, colonizaremos la luna, eliminaremos las armas nucleares y seremos todos bilingües.

LISTENING COMPREHENSION: ¿A CUÁNTO ESTÁ EL CAMBIO?

Listen as your instructor reads exchange rates in different countries, and fill in the chart with the equivalent of $1.00 in each place. Then answer the questions below.

Argentina	
Chile	
Colombia	
Perú	
México	
España	
Uruguay	
Venezuela	

1. Si cambias 150 dólares en Buenos Aires, ¿cuántos pesos recibirás? _____
2. Si cambias 200 dólares en Madrid, ¿cuántos euros recibirás? _____
3. Si cambias 1.000 dólares en Cancún, ¿cuántos pesos recibirás? _____
4. Si cambias 500 dólares en Lima, ¿cuántos soles recibirás? _____

LISTENING COMPREHENSION: LOS SALARIOS DE MIS AMIGOS

Listen carefully as your instructor tells you about the salaries of some friends. You will hear the descriptions twice. Write down each person's name next to his/her profession, plus the salary he/she makes. After listening to the descriptions, rank each person from highest to lowest salary in the last column.

PROFESIÓN	NOMBRE	SALARIO	Nombres en orden del salario
Abogada			
Bibliotecario			
Cajero			
Electricista			
Ingeniera			
Maestro			
Médico			
Peluquero			
Plomero			

PRÁCTICA: EL FUTURO

Doña Clara Vidente, the famous fortune teller and astrologer to the stars, has issued her predictions about what will happen next year. Complete her predictions with the correct future form of the verbs in parentheses.

<u>En Hollywood</u>

1. JayZ y Beyoncé (divorciarse) _____. Beyoncé (casarse) _____ con Kanye West. JayZ (estar) _____ furioso e (intentar) _____ raptar (*to kidnap*) a su ex-esposa el día de la boda.

2. Charlie Sheen y Sylvester Stallone (abrir) _____ un banco privado en Los Ángeles. Dicen: «En nuestro banco no (haber) _____ ningún robo nunca porque (tener - nosotros) _____ la protección constante de los hijos de Al Pacino y Arnold Schwarzenegger». Este banco (cobrar) _____ 1.000 dólares por el privilegio de depositar y sacar dinero y les (ofrecer) _____ a sus clientes una tarjeta de crédito que automáticamente les (dar) _____ un préstamo de 50.000 dólares al pedirlo. Seguramente este banco (ser) _____ muy popular entre las estrellas.

3. Lady Gaga (ser) _____ muy generosa con sus empleados este año. La cantante (gastar) _____ mucho dinero para que todos estén contentos. Le (pagar) _____ a su peluquera dinero extra para crear un estilo original cada dos semanas. Le (prestar) _____ su coche nuevo a su contador todos los viernes y (construir) _____ una casa para la familia de su cocinera. ¡(Ganar) _____ un dineral (*fortune*)!

Look over the drawing below and answer the questions using the future of conjecture and your imagination.

1. ¿Qué tipo de jefe será el Sr. Panzón? ¿Cuánto tiempo pasará en la oficina? ¿Cuánto ganará él al mes? Y sus empleados, ¿cuánto ganarán ellos?

   _____

2. ¿Con quién hablará Lola? ¿Cuántos años tendrá? ¿Cómo será su vida social?

   _____

3. ¿Por qué querrá Pedro hablar con Carmen? ¿Qué pensará Carmen de él? ¿Estarán enamorados?

   _____

4. ¿Por qué tendrá Arturo tanto interés en la conversación entre Carmen y Pedro? ¿Por qué estará preocupado?

   _____

5. ¿Por qué hará Isabel todo el trabajo? ¿Qué tipo de persona será ella? ¿Le gustará su trabajo? ¿Qué pensará de los otros empleados?

   _____

6. ¿Por qué llevará Ramón un traje tan elegante? ¿A él qué le gustará hacer?

   _____

PRÁCTICA: CUANDO YO SEA GRANDE...

The drawing below shows plans children had for their futures in the 1930s and in the year 2000. Write a sentence explaining each person's plans, according to the model and based on what you see in the drawing.

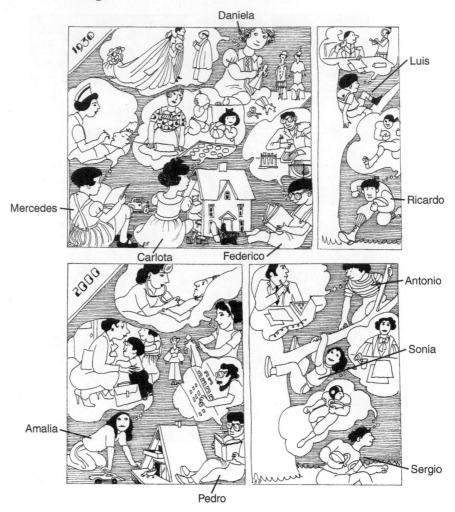

Modelo: Mercedes
Cuando Mercedes sea grande, será enfermera y trabajará en un hospital grande.

1. Carlota _____

2. Federico _____

3. Ricardo _____

4. Luis _____

5. Daniela _____

6. Sergio _____

7. Sonia _____

8. Antonio _____

9. Pedro _____

10. Amalia _____

CONJUNCTIONS OF TIME: LO MALO DE GANAR UN BUEN SUELDO

I. Read the English sentences below about money, and decide if the action underlined is future or uncompleted (**F**), habitual (**H**), or past and completed (**P**). In Spanish, would you use subjunctive or indicative in each one? Mark them "S" or "I" and explain why.

1. ☐ F ☐ H ☐ P <u>When I have time</u>, I'll talk to you about a loan. ☐ S ☐ I _____

2. ☐ F ☐ H ☐ P <u>When I lent Bill money</u>, he never paid me. ☐ S ☐ I _____

3. ☐ F ☐ H ☐ P <u>When my friends ask for money</u>, I usually say yes. ☐ S ☐ I _____

4. ☐ F ☐ H ☐ P <u>Until my check arrives</u>, I can't help you. ☐ S ☐ I _____

5. ☐ F ☐ H ☐ P I'll call <u>you as soon as my money is deposited</u>. ☐ S ☐ I _____

6. ☐ F ☐ H ☐ P It's always <u>difficult when you have a</u>
   <u>well-paying job</u>. ☐ S ☐ I _____

7. ☐ F ☐ H ☐ P <u>As soon as your friends find out</u>, they ask for loans.☐ S ☐ I _____

II. Complete the sentences about Ernesto's money problems with the correct form of the verb in parentheses. Read carefully to decide between indicative or subjunctive.

1. En el pasado, cuando Ernesto (☐ necesite   ☐ necesitaba) dinero, se lo pedía a sus padres.

2. Tenía trabajo, pero tan pronto como le (☐ pagaban   ☐ paguen) su sueldo, él lo gastaba en fiestas, ropa, viajes y citas.

3. En abril, después de que él (☐ pague   ☐ pagó) sus impuestos (*taxes*), tenía muy poco dinero en su cuenta corriente.

4. Ahora Ernesto es más responsable. Cada mes, en cuanto (☐ recibe   ☐ reciba) su cheque, va al banco para depositarlo.

5. Tiene un presupuesto ahora. Por eso, cuando (☐ compre   ☐ compra) algo, siempre sabe exactamente cuánto dinero hay en su cuenta corriente.

6. Antes de que él (☐ puede   ☐ pueda) pagar sus préstamos estudiantiles, necesita ahorrar más.

7. Pero Ernesto no va a poder ahorrar más dinero hasta que le (☐ dan   ☐ den) un aumento de sueldo.

PRÁCTICA: SUBJUNCTIVE AND INDICATIVE AFTER CONJUNCTIONS OF TIME

Complete the three passages below with subjunctive or indicative. Study the drawings and the contexts to decide whether to use subjunctive or indicative.

Cuando Roberto (1. estudiar) _____,
le gusta tomar un descanso a cada rato (*once in awhile*).
Esta noche, tan pronto como Estela lo (2. llamar)
_____, los dos van a tomar un café.
Anoche, después de que Roberto y sus amigos (3. ver)
_____ una película en la tele, él
estudió por tres horas más. Nunca se acuesta hasta que
(4. tener) _____ toda la tarea hecha
para el día siguiente.

Raúl y Alicia salen con frecuencia con sus amigos Pati y
Lorenzo. Esta noche, cuando Raúl y Alicia (5. entrar)
_____ al restaurante, vieron que no
estaban sus amigos todavía. No pueden pedir la cena hasta
que (6. llegar) _____ Pati y Lorenzo. En
cuanto todos (7. estar) _____ sentados,
van a pedir la cena. A todos les encanta comer, y por eso
siempre van a restaurantes buenos y caros cuando (8. salir)
_____ juntos. Después de que
(9. terminar) _____, Raúl y Alicia
quieren ir al cine, pero Pati y Lorenzo prefieren ir a bailar.

A Laura le encanta viajar, y cuando (10. tener)
_____ un poco de dinero ahorrado,
siempre va de viaje a un lugar nuevo. El año pasado,
después de que Laura (11. regresar) _____
de su viaje a Europa, empezó otra vez a depositar
dinero en su cuenta de ahorros. Cuando (12. haber)
_____ dinero suficiente en esa cuenta,
a Laura le gustaría hacer otro viaje. Ella espera ganar la
lotería algún día. Tan pronto como ellos le (13. dar)
_____ el premio (*prize money*), Laura
piensa hacer un viaje a Sudamérica. Ella quiere pasar
varios meses allí, y no va a volver hasta que se le (14.
acabar) _____ el dinero de la lotería.

PRÁCTICA: LAS FORMAS TÓNICAS (*STRESSED POSSESSIVES*) I.

Remember that the stressed possessives must agree in gender and in number with the nouns they modify.

mío/a/os/as	nuestro/a/os/as
tuyo/a/os/as	vuestro/a/os/as
suyo/a/os/as	suyo/a/os/as

Two grandmothers, doña Clarita y doña Luisita, are talking about their lives with each other. Doña Luisita has an inferiority complex and always tries to "one up" her friend, Clarita. Come up with doña Luisita's responses, using stressed possessives according to the model.

Modelo: doña Clarita: ¡Mis nietos son muy cariñosos!
           doña Luisita: Pues, los míos son cariñosos e inteligentes, también.

1. doña Clarita: ¡Nuestro apartamento es magnífico!

   doña Luisita: _____

2. doña Clarita: ¡Mis sobrinos son tan amables!

   doña Luisita: _____

3. doña Clarita: ¡Mi hijo trabaja en Francia, y su trabajo es excelente!

   doña Luisita: _____

4. doña Clarita: Mi esposo tiene un jardín, y ¡sus flores son preciosas!

   doña Luisita: _____

5. doña Clarita: ¡Mi nieto trabaja para IBM, y su sueldo es altísimo!

   doña Luisita: _____

6. doña Clarita: ¡Mi hija se casa con un duque el próximo mes!

   doña Luisita: _____

7. doña Clarita: ¡Mi vida es perfecta!

   doña Luisita: _____

PRÁCTICA: LAS FORMAS TÓNICAS (*STRESSED POSSESSIVES*) II.

After a party, two housemates, Anita and Nuria, are trying to figure out what stuff belongs to whom. Complete their conversation with the correct form of the stressed possessive (**mío, tuyo, suyo,** and so on.).

ANITA: ¿Esta chaqueta es 1. _____?
                                                    yours

NURIA: No, no es 2. _____. Creo que es de Elena.
                              mine

ANITA: No, no es 3. _____. La 4. _____ está aquí. ¿Y no sabes si son
                              hers   *hers*
            5. _____ estos discos compactos?
                    hers

NURIA: No, pensaba que esos discos compactos eran 6. _____. Pero sí son
                                                                          ours
            7. _____ estos anteojos aquí.
                    hers

ANITA: No, no son 8. _____. Esos anteojos son de Jaime, creo.
                              hers

NURIA: No, los 9. _____ están allí, encima del estéreo. ¿Y son 10. _____
                        his   *yours*
            estas llaves aquí?

ANITA: No, las 11. _____ están en la cocina. Posiblemente esas llaves son de
                              mine
            Laura y Pablo.

NURIA: No creo. Las 12. _____ están en el comedor. Entonces (*Then*), si las llaves
                              their
            13. _____ están en la cocina y las 14. _____ en el comedor,
                    your   *their*
            ¿dónde están las 15. _____?
                                        mine

ANITA: No sé, Nuria. Es un problema pero es 16. _____. Búscalas allí, en el sofá. Tal
                                                              your
            vez están allí con las cosas de Tomás y Lourdes.

NURIA: Vamos a ver. Aquí hay chaquetas. Seguro que son 17. _____ y aquí está la bolsa de
                                                                        their
            Lourdes, pero no veo nada 18. _____. ¡Qué confusión!
                                                mine

ANITA: Pues, llaves, llaves. Te ayudo a buscar las 19. _____, con tal que me
            ayudes a mí.   *your*
            Hay zapatos por todas partes, pero no encuentro los 20. _____.
                                                                              mine

NURIA: Está bien. Pero recuerda que la idea de dar esta fiesta no fue 21. _____, ¿eh?
                                                                                    mine

PRÁCTICA: OPORTUNIDADES GLOBALES

Write three sentences for each of the following people at the Global Opportunities Job Fair. One sentence should express a future action, another a past action, and the last, a habit. Use the following conjunctions of time.

antes de que	cuando	después de que	en cuanto	hasta que	tan pronto como

Calinda _____

_____

_____

Steven _____

_____

_____

Bárbara _____

_____

_____

I. Vocabulario

A. Asociaciones. What words do you associate with the following professions?

PROFESIÓN	COSA	ADJETIVO	LUGAR	OTRO
mecánico	coche	sucio	garaje	más hombres que mujeres
1. cocinero/a				
2. vendedor(a)				
3. siquiatra				
4. fotógrafo/a				
5. peluquero/a				
6. contador(a)				
7. bibliotecario/a				
8. periodista				
9. veterinario/a				
10. trabajador(a) social				

B. Definiciones.

1. Cuando necesitas dinero, puedes pedir un _____, o si tienes una cuenta corriente, puedes _____ un cheque.

2. Si no quieres recibir una cuenta enorme de Visa o Mastercard, es buena idea pagar _____ cuando compras algo.

3. Me gusta que mi banco tenga _____ cerca de mi trabajo y de mi casa.

4. Si piensas hacer un viaje, debes hacer un _____ para saber exactamente cuánto dinero vas a necesitar.

5. Depositas el dinero que no piensas gastar en una _____.

6. Es muy difícil _____ dinero cuando uno tiene que _____ tanto dinero pagando la matrícula, el alquiler y los seguros (*insurance*).

C. <u>En el Banco Central</u>. Answer the questions below based on the drawing and your imagination.

Vocabulario:
el/la cajero/a = cashier
la cuenta de ahorros = savings account
la cuenta corriente = checking account

1. ¿Cuántos cajeros (*cashiers*) trabajan en el Banco Central?

_____

2. ¿Cuánto dinero tendrá Pepe en el banco?

_____

3. ¿Qué hace el Sr. Ruiz?

_____

4. ¿Qué hará el Sr. Ruiz con el dinero que cobró?

_____

5. ¿Qué tipo de cuenta tendrá el Sr. Ruiz?

_____

6. ¿Por qué pide un préstamo la Sra. Solís?

_____

_____

D. <u>Consejos</u>. You are a career counselor at your university. Suggest some careers for the following students, based on their likes and dislikes. Also give some recommendations for careers each person shouldn't go into.

Modelo: Me gusta trabajar solo/a. →
Recomiendo que seas bibliotecario/a.
Te sugiero que estudies computación, para ser programador(a).
No recomiendo que seas maestro/a.

1. Hablo dos idiomas, me gusta viajar y tengo mucha experiencia con los negocios.

_____

2. Me preocupan mucho los problemas enfrentando a (*facing*) los niños. Me gustaría trabajar con ellos y hacer algo por ellos.

_____

3. No me gustaría estar encerrado/a (*trapped*) en una oficina todo el día. Prefiero estar afuera y hacer algún trabajo físico.

_____

II. Gramática

A. El futuro. Complete the following passage about Alicia's plans for the future.

Cuando yo sea más grande, (1. ir) _____ a la universidad y (2. estudiar) _____ para ser veterinaria, porque me gustan mucho los animales. Allá en la universidad, (3. conocer) _____ a un chico inteligente y simpático. Él me (4. invitar) _____ a salir, y, con el tiempo, nosotros (5. casarse) _____. Él (6. ser) _____ dentista, y juntos, nosotros (7. abrir) _____ una clínica, con una mitad (*half*) para mis clientes animales y la otra para sus clientes humanos. (8. Tener - Nosotros) _____ mucho éxito (*successful*) y (9. estar - nosotros) _____ muy felices. (10. Tener - Nosotros) _____ un hijo, una hija, un perro y un gato, todos con dientes perfectos y de muy buena salud. (11. Vivir) _____ en una casa amarilla (12. Ir) _____ a la playa todos los veranos.

B. La recepción de la Embajada Española. The Spanish Embassy is holding a big reception for the King and Queen of Spain. Seven of the most popular people invited said they can't make it. Why not? Speculate on what each is doing instead, using the future of conjecture.

1. Jennifer López

   _____

2. Chris Rock

   _____

3. Willie Nelson

   _____

4. Penélope Cruz

   _____

5. Prince William

   _____

6. Bill Gates

   _____

7. Hillary Rodham Clinton

   _____

C. ¡Marco es un desastre! Complete the following sentences with the appropriate form of the verb in parentheses. Then indicate whether the action is in the past (**P**) and completed; in the future (**F**); or whether it denotes a habit (**H**).

1. ☐ P ☐ F ☐ H En cuanto Marco (recibir) _____ una tarea de su jefe, siempre espera hasta el último momento para empezarla.

2. ☐ P ☐ F ☐ H Cuando el jefe le (dar) _____ esta tarea el lunes, le dijo claramente que la necesitaba el viernes a las seis.

3. ☐ P ☐ F ☐ H Después de que Marco (terminar) _____ esta tarea, irá directamente a su bar favorito.

4. ☐ P ☐ F ☐ H Hasta que Marco (cambiar) _____ su actitud hacia su trabajo, no tendrá posibilidades de avanzar en esta compañía.

5. ☐ P ☐ F ☐ H Cuando (ser) _____ joven, pensaba dedicarse a otra carrera, como el arte o la arquitectura.

6. ☐ P ☐ F ☐ H Tan pronto como (poder) _____, Marco buscará otro tipo de trabajo.

D. <u>Las formas tónicas: De viaje</u>. Complete the sentences with the correct form of the stressed possessive.

1. Esta maleta aquí es _____ (*mine*); la otra allá es _____ (*yours*).

2. Este es tu pasaporte... ¿dónde está el _____ (*mine*)?

3. José vino al aeropuerto en su coche, pero nosotros dejamos el _____ (*our*) en casa y tomamos un taxi.

4. Sr. Rojas, creo que Ud. está en mi asiento. El _____ (*your*) es el 21B, no el 21A.

5. Pablo facturó su equipaje y nosotros también. Ahora nuestras maletas están en Chicago y las _____ (*his*) están en Nueva York.

E. <u>¿Qué dirías</u>? Write one or two sentences for the following situations.

1. You desperately need a loan to buy a computer. What would you say to the loan officer at the bank?

_____

_____

2. You really want a credit card, but you can't convince your parents to co-sign with you.

_____

_____

3. Your rent check bounced and your landlord is really mad.

_____

_____

4. It's Mother's Day and you have no money left. Explain to your mom why you have no money to buy her a present.

_____

_____

III. Diálogo

Write a dialogue based on the situation below. Be prepared to role-play your dialogue with a partner for the class.

Your parents are disgusted with your spending habits. They have threatened to cut off all financial help. Write a dialogue in which:

- you explain to your parents what you did with the $3,000 they gave you for tuition;
- you tell them why you need another loan;
- you say what you will do in the future to handle money more responsibly.

_____

_____

_____

_____

_____

_____

_____

_____

_____

_____

Information Gap Activity: LOS PRÉSTAMOS DEL BANCO EXTERIOR DE MIAMI

You and your partner are loan officers at the Banco Exterior de Miami and are reviewing the account information of clients who have asked for loans. Use your chart to answer your partner's questions about the clients, and fill in the missing information in your chart by asking your partner questions. Once the charts are completed, you and your partner must decide together who gets a loan and in what amounts. Remember, you can only loan a total of $100,000 this week.

Preguntas útiles:

¿Cuánto tiene _____ en su cuenta corriente?   ¿Para qué necesita el préstamo?

¿Cuánto ha pedido de préstamo?   ¿Debemos prestarle el dinero? ¿Cuánto?

Compañero/a #1

Cliente	Cuenta corriente	Cantidad de préstamo	Necesita el préstamo para...	Sí/No (¿Cuánto?)
Sr. Salazar	$32.200		arreglar su casa después de un huracán	
Sra. Torres		$250.000		
Srta. de Hoyos	$1.570		pagar la matrícula	
Sr. Dávila		$57.000		

Compañero/a #2

Cliente	Cuenta corriente	Cantidad de préstamo	Necesita el préstamo para...	Sí/No (¿Cuánto?)
Sr. Salazar		$45.000		
Sra. Torres	$117.700		abrir un restaurante	
Srta. de Hoyos		$13.400		
Sr. Dávila	$16.900		comprar un coche Ferrari	

Speaking Activities

GUIDED WRITING AND SPEAKING: ASPIRACIONES

A. Using the drawing and your imagination, answer the following questions in complete Spanish sentences. Pay careful attention to the way the questions are phrased in order to use the correct structures in your answers.

Benito   Raquel   Miguel   Alicia

1. How well did Benito play the piano yesterday?
2. When he's grown up, what will he be?
3. What did Raquel receive for Christmas?
4. Why is it important for Raquel to have a horse?
5. Does Miguel feel like playing on the basketball team?
6. What do you recommend that Miguel tell his father?
7. Will Miguel be a famous dancer when he's older?
8. Why doesn't Alicia like to go to parties?
9. Why does her mother insist that she go to so many parties?
10. Will Alicia win the Nobel Prize for chemistry?

B. Imagine you are the school counselor. Write a letter to the parents of one of the children in the drawing. Recommend three things they should do or stop doing to improve their relationship with the child.

_____

_____

_____

_____

C. With a partner, role-play a dialogue between the parent and child in one of the four scenes of the drawing.

COMMUNICATIVE GOALS PRACTICE #9

Try to talk about the scene for 75 seconds. "Show off" all you have learned up to this point in the semester. Check the **Communicative Goals** boxes at the beginning of each chapter of your Supplement to see all that you should be able to do. For this practice, some of the possible categories are listed below. Try to use connectors (**porque, pero, y, también, por eso**) to make your description sound more fluent and natural.

1. Description (age, personality, physical appearance, clothing)
2. What one of them used to do before choosing his/her current profession
3. The daily routine of one of them
4. What they like and dislike about their work
5. What you recommend they do to excel in their work
6. What they will do with their money

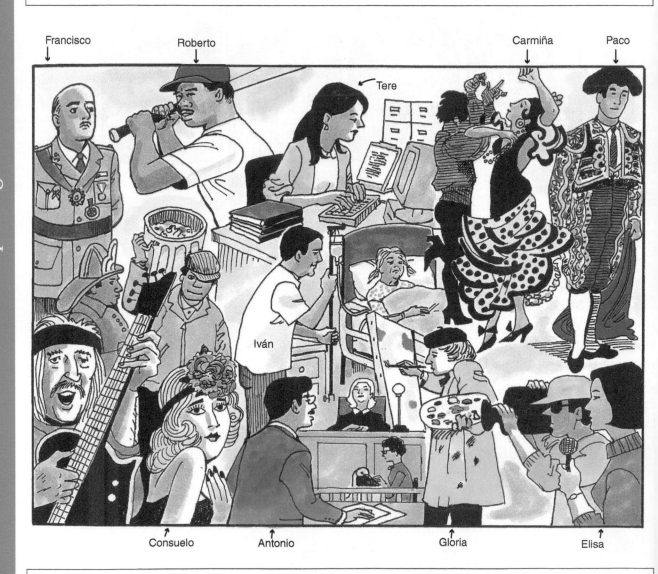

Francisco   Roberto   Tere   Carmiña   Paco

Iván

Consuelo   Antonio   Gloria   Elisa

After you've finished your description, imagine you are talking to the characters in the drawing. Ask at least two questions of one or more characters.

Speaking Activities

C A P Í T U L O
18

Communicative Goals for Chapter 18
By the end of the chapter, you should be able to:

- discuss current events ❑
- express doubts, emotions, and wishes ❑
  in the past
- talk about what belongs to you and others ❑

Grammatical Structures
You should know:

- past subjunctive ❑
- conditional verb forms ❑
- *if* clauses ❑

PRONUNCIACIÓN

After listening to your instructor pronounce the following sentences, practice them with a partner.

- Daniel Durán dudaba que durara el desastre de la dictadura.
- Susana Sánchez sintió que el senador no supiera representar a los ciudadanos satisfactoriamente.
- Tomás Torres temía que el testigo no tomara en serio la tragedia del terremoto.
- El reportero recomendó que Rubén Ruíz regresara a Rusia rápidamente.
- Héctor Hernández hizo que Herlinda Haros invitara a su hermano a la huelga.

LISTENING COMPREHENSION: EL NOTICIERO

You will hear a news report. The first time you hear it, listen for who is being talked about and where the event took place. Write this information in the chart. The second time you hear the report, complete the chart with information about what happened. Don't worry about understanding everything you hear.

¿Quién?	¿Dónde?	¿Qué pasó?

TITULARES

Read the following headlines. React to each, and then make a recommendation.

Modelo: ¡Se descubrió otro planeta nuevo!

Reacción: ¡Es increíble que (No puedo creer que / Es sorprendente que) hayan descubierto otro planeta!

Recomendación: Recomiendo que los científicos manden varios satélites para investigar.

1. Martha Stewart elegida al congreso estadounidense

   a. Reacción _____

   b. Recomendación _____

2. La universidad cancela las vacaciones de Navidad

   a. Reacción _____

   b. Recomendación _____

3. ¡Pitbull colabora con Usher otra vez!

   a. Reacción _____

   b. Recomendación _____

4. ¡Escandaloso reportaje sobre el Príncipe Harry de Inglaterra y Taylor Swift

   a. Reacción _____

   b. Recomendación _____

5. Extraterrestres vistos en Filadelfia por miles de habitantes

   a. Reacción _____

   b. Recomendación _____

PRÁCTICA: EL IMPERFECTO DE SUBJUNTIVO (I)

You already know that in Spanish, the past subjunctive is formed from the third-person plural of the preterite. Complete the pairs of sentences below with the correct preterite and past subjunctive forms.

1. El viernes pasado, todos mis alumnos (llegar) _____ tarde. Hoy les dije que no (llegar) _____ tarde a clase.

2. La semana pasada, mis padres me (mandar) _____ dinero para pagar la matrícula. Les pedí que me lo (mandar) _____ muy pronto.

3. Mis amigos me (ayudar) _____ a limpiar mi casa antes de la fiesta. Esperaba que alguien me (ayudar) _____ a limpiarla después de la fiesta también.

4. En mi primera clase de español, los exámenes no (ser) _____ difíciles. Sin embargo, dudaba que el examen final (ser) _____ tan fácil.

5. El año pasado, mis supervisores me (dar) _____ un aumento de sueldo, aunque (although) mi jefe no quería que ellos me lo (dar) _____.

6. El año pasado, mis tíos (hacer) _____ un viaje a España. Querían que yo (hacer) _____ el viaje con ellos, pero no pude.

7. Ayer mis amigos me (decir) _____ un secreto, pero insistieron en que no se lo (decir - yo) _____ a nadie.

8. El verano pasado, mis suegros (in-laws) (decidir) _____ viajar a Virginia. Tenía miedo de que ellos (decidir) _____ pasar mucho tiempo con nosotros.

9. Mis compañeros de casa (comprar) _____ un sofá viejo y feo para la sala. Quería que nosotros (comprar) _____ uno bonito, pero costaba demasiado.

10. La semana pasada, dos muchachos, Ramón y Jaime, me (invitar) _____ a salir. Esperaba que Guillermo me (invitar) _____, pero no me llamó.

PRÁCTICA: EL IMPERFECTO DE SUBJUNTIVO (II)

A. <u>Mi primer día de clases</u>. Complete with the correct form of the past subjunctive

1. No quería que mi mamá me (acompañar) _____ hasta la parada del autobús.

2. Mi mamá insistió en que (ponerse - yo) _____ un sombrero y una bufanda (*scarf*), aunque no hacía frío.

3. Mi papá me dijo que no (hablar) _____ con desconocidos (*strangers*).

4. Cuando llegué a la escuela, la directora me dijo que (venir) _____ con ella.

5. Fuimos a la clase, y allí la maestra me pidió que (sentarme) _____ en la primera fila (*row*).

B. <u>Una fiesta en casa de Diana</u>. Using the drawings, cues, and your imagination, write a short (five to six sentences) paragraph about the drawing.

A Pedro no le gustaba que... A los vecinos les parecía increíble que...
Pilar quería que... Nora llamó a un amigo para que...

C. <u>Ojalá que...</u> Make a wish in Spanish for the following people or things:

Modelo: yo → ¡Ojalá (que) tuviera más dinero!
¡Ojalá (que) me graduara este año!

1. tus padres / tu familia _____

2. tu mejor amigo/a _____

3. tu peor enemigo/a _____

4. el examen final de español _____

5. el mundo _____

PRÁCTICA: EL CONDICIONAL

Complete the passages with the correct conditional forms of the verbs in parentheses.

Los sueños de Teresa y Juan

Ay, Juan... ¡cómo me (1. gustar) _____ mudarnos de este apartamento tan

feo y chico e irnos a vivir en el campo! Imagínate... todo (2. ser) _____ tan lindo y

tranquilo, con las flores, los árboles y el aire puro. Allí (3. poder - nosotros) _____

comprarnos una casita. La (4. pintar - nosotros) _____ de blanco o de amarillo.

(5. Tener - Yo) _____ un jardincito con flores, y (6. poder - tú) _____

plantar una huerta (*orchard*) pequeña. Teresita (7. aprender) _____ a montar a

caballo y a trepar (*climb*) árboles. Le (8. comprar - nosotros) _____ un perrito

para Juanito, y los dos (9. caminar) _____ por los bosques. ¡(10. Estar - Nosotros)

_____ tan contentos!

El viaje espacial de Rafael

A mi amigo Rafael le fascina la ciencia-ficción. Le (1. encantar) _____

poder viajar por el espacio y el tiempo. Dice que (2. ir - él) _____ a otras galaxias

y (3. visitar) _____ otros planetas. Allí, (4. conocer - él) _____ a

varias razas extraterrestres y les (5. explicar - él) _____ cómo somos los humanos.

(6. Casarse - Él) _____ con una ingeniera aeroespacial de piel verde de otro

planeta. Juntos, ellos dos (7. construir) _____ una nave (*ship*) espacial y

(8. empezar) _____ a explorar más y más sistemas solares. Imagínense...

(9. llegar - ellos) _____ hasta el fin del universo, solos y enamorados.

Yo soy tímido, y (10. tener - yo) _____ miedo de ir tan lejos. (11. Preferir - Yo)

_____ quedarme aquí en la Tierra, pero (12. extrañar - yo) _____

mucho a Rafael. Posiblemente nosotros (13. poder) _____ comunicarnos por una

radio espacial.

PRÁCTICA: ¿QUÉ HARÍAS?

Answer each of the questions based on the drawings and using your imagination.

1. Si fueras Emilia, ¿cómo te sentirías al ver a Isabel?

   _____

   ¿Podrías vivir con ella?

   _____

   ¿Qué harías si Isabel diera muchas fiestas?

   _____

2. Si fueras Isabel, ¿te gustaría vivir con Emilia?

   _____

   ¿Qué pensarías de ella?

   _____

   ¿Limpiarías el apartamento con frecuencia?

   _____

3. Si fueras Guillermo, ¿qué le dirías a Félix?

   _____

   Y si fueras Félix, ¿qué harías?

   _____

4. ¿Qué le dirías a la chica que escucha música?

   _____

   Si no pudieras estudiar en la biblioteca, ¿adónde irías?

   _____

PRÁCTICA: EL CONDICIONAL Y EL IMPERFECTO DE SUBJUNTIVO

A. Write five sentences explaining where Celia would go, how she would travel and what she would do on her dream vacation. Use the conditional and the information in the drawing.

1. _____
2. _____
3. _____
4. _____
5. _____

B. Complete the sentences below with a phrase using the conditional or the imperfect subjunctive, according to the context.

1. Si ganara la lotería, _____.

2. Yo iría de viaje si _____.

3. Si no fuera estudiante, _____.

4. Mis padres estarían más contentos conmigo si _____.

5. Si pudiera hablar con el presidente, _____.

PRÁCTICA: SI YO FUERA...

For each of the drawings, read what happened to these people in the past, and then write what you would do if it happened to you.

Modelo: Sofía no pudo comprar un suéter de lana en el mercado de artesanías, porque no tenía suficiente dinero.

Si yo fuera al mercado, llevaría más dinero conmigo.

1. El año pasado Felipe y Victoria tomaron demasiado vino y bailaron delante de todo el mundo.

   Si yo _____

   _____.

2. Hace dos años, Luis se perdió en Veracruz.

   Si yo _____

   _____.

3. El verano pasado, arrestaron a Rafael en la aduana porque llevaba cinco cámaras.

   Si yo _____

   _____.

4. Cuando fueron a Espana, los Sres. Smith tuvieron muchos problemas porque no hablaban español.

   Si yo _____

   _____.

REPASO: CAPÍTULO 18

I. Vocabulario

A. What places or people do you associate with the following words?

1. choque _____
2. dictador _____
3. reina _____
4. desastre _____
5. catástrofe natural _____

6. reportero/a _____
7. leyes federales _____
8. huelga _____
9. derechos civiles _____
10. guerra _____

B. Definiciones

1. Cuando alguien mata a otra persona: _____
2. Persona que ve un accidente o un asesinato: _____
3. Lo que los líderes hacen: _____
4. Un conflicto armado: _____
5. Programa que presenta las noticias: _____
6. Cuando los obreros dejan de trabajar para protestar algo: _____
7. Lo que tienes que obedecer: _____
8. Un acontecimiento horrible: _____

C. Preguntas personales. Contesta en español.

1. ¿Qué programa prefieres ver, el noticiero o *Entertainment Tonight?*

_____

2. ¿Cómo se llama el periódico de tu ciudad? ¿Qué piensas de ese periódico?

_____

3. ¿Crees que el servicio militar debe ser obligatorio?

_____

4. ¿Has sido testigo de un crimen alguna vez?

_____

5. ¿Te gustaría ser ciudadano/a de otro país? ¿Por qué?

_____

6. ¿Por qué crees que muchos estadounidenses no votan en las elecciones?

_____

7. ¿Te gustaría ser rey o reina de algún país? ¿Por qué?

_____

II. Gramática

A. El imperfecto de subjuntivo: Recuerdos de infancia. Complete the passage below with the correct form of the past subjunctive, according to the subject indicated.

De niña, yo tenía miedo de que las brujas debajo de mi cama (1. salir)

_____ alguna noche y me (2. comer) _____. Mis padres no

querían que (3. ser - yo) _____ una niña supersticiosa, y un día me dijeron:

«Ana, no seas tonta. No hay brujas». Pero no podía creer que las brujas no (4. existir)

_____, y por eso quería que mi madre (5. venir) _____ a mi

alcoba y que nosotros (6. pasar) _____ las noches juntas. Mi madre no

quiso hacer eso, así que les pedí a mis padres que no (7. apagar) _____ las

luces de mi habitación. Mis padres dudaban que (8. poder - yo) _____

dormir con las luces encendidas. No entendían que era imposible que (9. dormir - yo)

_____, con luces o sin luces. Ellos pensaban que era extraño que

(10. tener - yo) _____ tanto miedo de algo que no existía.

B. El imperfecto de subjuntivo: Recuerdos de tu niñez y adolescencia. Answer the following questions about your younger days.

Cuando eras niño/a...

1. ¿Qué te decían tus padres que hicieras?

_____

2. ¿De qué tenías miedo?

_____

3. ¿Era necesario que tus padres te castigaran frecuentemente? ¿Por qué?

_____

Cuando tenías 16 años...

4. ¿A qué hora querían tus padres que estuvieras en casa después de una cita?

_____

5. ¿Tus padres permitían que usaras el coche?

_____

6. ¿Qué tipo de coche querías que tus padres o tus abuelos te compraran?

_____

C. <u>El fin de semana de Lupe y Concha</u>. Fill in the correct form of the verb. You will be using preterite, imperfect, and present and past subjunctive.

La semana pasada (1. ir - yo) _____ a Madrid con Lupe, mi compañera de cuarto. Nosotras (2. tomar) _____ el tren de Sevilla que (3. tardar) _____ solo tres horas. ¡(4. Ser) _____ fenomenal! La primera noche (5. decidir - nosotras) _____ ir a la Plaza Mayor porque (6. querer - yo) _____ que un artista allí (7. pintar) _____ mi retrato. Quería que el retrato (8. ser) _____ pequeño para que mi novio lo (9. poder) _____ poner en la mesita al lado de su cama. (10. Tener - Yo) _____ que estar sentada por dos horas. Cuando por fin el artista (11. terminar) _____ y (12. ver - yo) _____ mi retrato, no me (13. gustar) _____ para nada. La nariz (14. salir) _____ demasiado grande y el cuello (15. parecer) _____ como el de una jirafa. ¡Qué desastre! No quería que mi novio (16. tener) _____ un retrato tan grotesco a su lado.

<u>Preguntas</u>

1. ¿Dónde viven Lupe y Concha?

_____

2. ¿Por qué decidieron ir a la Plaza Mayor?

_____

3. ¿Por qué quería Concha un retrato pequeño?

_____

4. ¿Por qué no le gustó el retrato?

_____

D. <u>Situaciones</u>. The new reporter Ramón on Channel 42 has been a disaster from his first day on the job. He needs to shape up. You are his boss; tell him what he needs to do in order not to get fired.

1. A menos que Ud. _____.

2. Le recomiendo que _____.

3. Es necesario que Ud. _____.

That night at dinner Ramón tells his wife what his boss said:

4. Me dijo que a menos que yo _____.

5. Me recomendó que _____.

6. Me dijo que era necesario que yo _____.

E. El condicional. Don't forget that irregular verbs in the future are also irregular in the conditional and are formed using the same stem.

decir	→ dir	
hacer	→ har	-ía
poder	→ podr	-ías
poner	→ pondr	-ía
querer	→ querr	-íamos
saber	→ sabr	-íais
salir	→ saldr	-ían
tener	→ tendr	
venir	→ vendr	

Complete the passage below about what Jorge would do on a trip with the correct Spanish forms of the English verbs in parentheses.

¿Adónde (1. *would I go*) _____ si tuviera mucho dinero? Pues, (2. *I would take /*

hacer) _____ un viaje a Sudamérica. (3. *I would travel*) _____ por barco, y

(4. *I would want*) _____ viajar con mis amigos. (5. *We would leave*) _____

de Nueva York, y durante el viaje en barco (6. *We would visit*) _____ muchos lugares:

Puerto Rico, Caracas, Río de Janeiro y São Paolo. De Buenos Aires, (7. *we could*) _____

viajar hacia el interior. (8. *We would have*) _____ la oportunidad de esquiar en los

Andes y de explorar el bosque tropical lluvioso del Amazonas. ¿Qué tal te parece mi viaje

ideal? (9. *Would you want*) _____ acompañarme?

F. ¡Ojalá fuera así! What would you do if you were in the following situations? Complete each sentence.

1. Si yo estuviera en Cancún, México,...

   _____.

2. Si yo pudiera viajar a cualquier país,...

   _____.

3. Si yo visitara las ruinas de Machu Picchu,...

   _____.

4. Si mis amigos y yo hiciéramos un viaje a España,...

   _____.

5. Si yo fuera a la Ciudad de México,...

   _____.

III. **¿Qué diría Ud.?** You want to get out of doing the following things without hurting anyone's feelings. Come up with an excuse for each invitation, using **Ojalá (que)...** + past subjunctive.

- The annoying person behind you in class asks you out.

   _____

- Your roommate wants you to go to a Finnish film festival with him/her.

   _____

- Your dad wants to spend some time with you on Saturday . . . cleaning out the garage.

   _____

GUIDED WRITING AND SPEAKING: LAS NOTICIAS DESDE CHICAGO, 1925

A. You are a reporter in Chicago in 1925. Study the drawing and then work with a partner to form six questions about the scene. Use a different question word in each question, and find a new partner to answer your questions. Use your imagination and the vocabulary from Chapter 18 and previous chapters.

Vocabulario: **el letrero** = sign   **el sótano** = cellar

                               la cárcel = jail   **vigilar** = to guard, to watch

1. _____

2. _____

3. _____

4. _____

5. _____

6. _____

B. Write a report from the mayor of Chicago telling what happened in the city yesterday. Include his/her reaction to the events, as well as some recommendations about what police and citizens should do to make the city safer.

C. With a partner, role-play a dialogue between any two characters in the drawing.

ROUND ROBIN: GRAMMAR MONITOR ACTIVITY

In this activity you will work in groups of four. Each partner will alternate roles until all four of you have (1) reacted to each statement; (2) made a recommendation; (3) said what you would do if you were that person or were in that situation; and (4) served as the grammar monitor.

Statements	Roles of Partners A, B, C, and D
1. Ramón se quedó en un hotel barato y había cucarachas en el baño. 2. Cuando Sara pasó el semestre en España, empezó a fumar otra vez. 3. Aunque sus padres le pagaron el viaje a Costa Rica, Daniel no les mandó ni una postal, ni los llamó. 4. Un día Ana dejó su pasaporte en un bar y al día siguiente perdió sus billetes para volver a California.	A. React B. Recommend C. Hypothesize D. Be the monitor

Partner A: Read the statement aloud, then give your reaction using an impersonal expression such as **Es terrible que..., Es obvio que...,** or **Es fenomenal que...**

Partner B: Offer a suggestion or recommendation to the person in each statement.

Partner C: Hypothesize about what you would do, if you were that person or were in that situation. Use the past subjunctive and the conditional. Example: **Si yo fuera Ramón, iría a...**

Partner D: As the grammar monitor, your job is to write down the subjunctive and conditional verb forms that you hear. Make sure that subjunctive is not used with expressions indicating certainty such as **Es evidente que..., Es cierto que...,** or **Es verdad que...** . Also remember that speakers can use the present subjunctive (**...que pierda**), the present perfect subjunctive (**...que haya perdido**), or the past subjunctive (**...que perdiera**). When Partners A, B, and C are finished, give them feedback on whether or not they are using the subjunctive correctly for reactions and recommendations, and whether they are using the past subjunctive and conditional to talk about hypothetical situations.

Now switch roles. Partner A will recommend, Partner B will hypothesize, Partner C will be the grammar monitor and Partner D will react. Then switch roles two more times.

KEY LANGUAGE FUNCTIONS: DESCRIPTION, COMPARISON, EXPRESSING LIKES AND DISLIKES, NARRATION IN THE PAST, REACTION AND RECOMMENDATION, TALKING ABOUT THE FUTURE, AND HYPOTHESIZING

The chart below shows the linguistic tools needed to perform these seven key language functions.

D DESCRIBIR	To construct a description →	Vocabulary →	Linguistic Tools Needed: • **ser** vs. **estar** • noun-adjective agreement
C COMPARAR	To construct a comparison →	Vocabulary →	Linguistic Tools Needed: • noun-adjective agreement • **más/menos… que; tan… como; tanto/as/os/as… como**
G GUSTOS	To construct a statement of likes and dislikes →	Vocabulary →	Linguistic Tools Needed: • **Gustar**-type constructions • Indirect object pronouns
P PASADO	To construct a description or narration in the past →	Vocabulary →	Linguistic Tools Needed: • Preterite vs. imperfect
R REACCIONAR RECOMENDAR	To construct a reaction or recommendation →	Vocabulary →	Linguistic Tools Needed: • Subjunctive in noun clauses; commands
F FUTURO	To construct a future narration →	Vocabulary →	Linguistic Tools Needed: • Future tense; subjunctive in adverbial clauses
H HIPOTESIS	To construct a hypothesis →	Vocabulary →	Linguistic Tools Needed: • Conditional • Imperfect subjunctive

Take turns with a partner talking about the following topics.

 • Describe the perfect vacation spot.

 • Compare two places you visited while on vacation when you were a child.

 • Tell what bothers customers about air travel these days.

 • Describe a bad travel experience you have had.

 • Tell where you recommend a tourist visiting your state should go to have fun.

 • Tell where you will go on your next vacation, what you will do there and why.

 • If you could study in any Spanish-speaking country, which one would you choose?

Speaking Activities

COMMUNICATIVE GOALS PRACTICE #10

Try to talk about the scene below for 75 seconds. "Show off" all you have learned up to this point in the semester. Check the **Communicative Goals** boxes at the beginning of each chapter of your Supplement to see all that you should be able to do. For this last practice, some of the possible categories are listed below. Try to use connectors (**porque, pero, y, también, por eso**) to make your description sound more fluent and natural.

1. Description (age, personality, physical appearance)
2. Where these people went for vacation and where they stayed
3. What they like and don't like to do on vacation
4. What you suggest they do to avoid problems when traveling
5. What you would do if you were Jorge or Irma
6. What they will do the next time they take a trip

After you've finished your description, imagine you are talking to the characters in the drawing. Ask at least two questions of one or more characters.